本書は、現代美術作家であり漫画家でもある著者が、現代美術の楽しみ方を示す目的で、独自の視点で現代美術を解釈しまとめたものです。現代美術に対する1つの解釈を示すものであり、それ以上を意味するものではありません。

本書にある漫画やイラストは著者の理解に基づくものであり、内容には省略やデフォルメが含まれ、実際とは異なる部分があります。また、漫画にある台詞も、実際の発言ではありません。

作品の情報は巻末をご確認ください。

常識やぶりの天才たちが作った

美《び》術《じゅつ》道《みち》

これが現代美術の傑作《泉》です
売られていた小便器をひっくり返しただけの作品です
ジャーン
さすがに変すぎるわ!
これのどこが美術なんだ!
人間なめんなよ!
ガクガク
ひぃー
よく見たら他の作品も全部変だ!
缶詰と芸能人描いただけじゃん!
みんなでオレをバカにしてるんだな!
ワアー
ドッタンバッタン!
ただのタイヤじゃねーか!
まあまあ解説聞けよ
縛り上げられてしまった
オレは美術を知りたかっただけなのに
I WANT TO KNOW…(知りたい…)
あれだけ騒ぐから…ここ公共施設だぞ…
美術作家になって一攫千金しようとしたけど、どの作品も意味がわからないや
美しくないしふざけてる…
プラーン プラーン
便器をひっくりかえしただけ
TOMATO SOUP
売ってる商品をそのまま描いただけ
どうしてこんなものを作ろうと思ったんだろう
うめー
みんなでごはんを食べるだけ
ガラスで石を割っただけ
などなど…
気になるかい?美術道を歩けばその理由がわかるよ!
美術道?

いでよ！美術道の門！
ビシャアア
うわあ！門が錬成された！
ゴゴゴゴゴ
これが美術の歴史をたどれる美術道の門です
地獄につながっていそう……
ギイー
もくもく
ぎぎぎ…
なにこれ…
この美術道を歩くと美術の道を作った作家に順番に会えるんだ
作家から知れば作品もわかると思うし変な人ばかりだから君と気が合うと思うよ
オレは変じゃない！
自覚がないタイプの変なやつか……
ネクタイポーイ
美術の歴史はいろんな作家が世代交代を繰り返すことで作られてきたのです
現代美術を作ってきた作家に会いに行こう！
うわあすごい物騒……
ボカーン
ドカーン
ドカーン
美術道は作家の闘いの歴史でもあるからね
こうして不思議な犬と一緒に美術道を歩くことになったのです！

はじめに

どうかしてる！　ふざけてる！　美しくない！

はじめまして。パピヨン本田と言います。普段は現代美術家として活動していますが、WEBで現代美術をモチーフにしたギャグ漫画を描いたりもしています。

さて、皆さんは現代美術（現代アート）と聞くと、どのようなイメージを抱きますか？

「何をしているのかわからない」「難しそう」と思う方も、多いかもしれません。

たしかに作品を見ただけでは、ただひっくり返された便器が置いてあったり、絵の具が撒《ま》き散らされていたり、かぼちゃに水玉模様が描かれていたりして、何がなんだかわからないものも多いですよね。

「いったいこれは、何をしたいの？」と思ってしまいます。

そのような方にすすめたいのが、**作品からではなく、作家から現代美術を見てみること**です。

現代美術では、作家がほかの作家を意識して作品作りをすることが多々あります。また、作家の生きた時代が作品作りに影響することも珍しくありません。「あいつがこうするなら、こうだ」「俺が生きている今の時代がこうだから、こういう作品を作ろう！」などなど。ですから、**作家からたどることで背景にある文脈や作品の意図がつかみやすくなったりします。**

また、現代美術家には傍から見れば一風変わった人も多いので、**作家を見ると、「そんなのアリ!?」と**

思ってしまうような面白エピソードがたくさん出てきて、知ると愉快であることもおすすめする理由の1つです。男性用小便器をひっくり返した《泉》で現代美術を誕生させたマルセル・デュシャンは作品を作るたびに非難ごうごうで、よく今で言う炎上をしていました。今生きている作家の中で、世界一高い値段で作品を売るジェフ・クーンズの作品の見た目は、とにかく安っぽく、けばけばしいものばかりです。

《太陽の塔》で有名な岡本太郎は、**現代美術は上手くて、きれいで、心地よいと思えるものであってはいけない。それまでの価値観を揺るがして新しい価値観を生み出すために存在するのだから。**というようなことを言っています。物議を醸し、ときに人を不愉快にさせることもある現代美術は、もしかしたら常識はずれだと感じる人もいるかもしれません。それでも、知恵を絞って新しさを模索する作家たちの姿には、必死さと葛藤があり、願望と欲望があり、汗と涙がありで、勇気づけられることもあります。

この本は、そんな変革を求める変わり者を、私独自の視点と解釈でまとめてご紹介するものです。本書にある漫画やイラストも私の理解に基づくもので、内容には省略やデフォルメも含まれていますし、漫画にある台詞《せりふ》は、実際の発言ではありません。あくまでも現代美術の楽しみ方をギャグ漫画として、少しでも身近に感じていただきたいと思って描きました。

これを読んで興味を抱いてくださった方がいれば、ぜひ実際に美術展を訪れてほしいと思っています。

それでは、常識がボロボロ崩れていく、滅茶苦茶なのに目が離せない。

そんな作家たちが作る美術道を、ぜひ一緒に見ていきましょう。

YES!!

第2章

アートはみんなのもの！ ポップ・アート道

第3章

その頃日本。目立つ新人、美術を壊す

前衛美術道

第4章
おかしいのは社会か？　作家か？
ソーシャル・アート道

ブックデザイン／牧寿次郎
本文DTP／エヴリ・シンク
校正／山崎春江　鴎来堂　中村志保
編集協力／橋場佑太郎
作画アシスタント／井上森人　南壽イサム
編集／大井智水

第1章

Don’t feel! Think!《感じるな、考えろ！》

現代美術って難しい！わからない!!
美術道《びじゅつみち》
じゃあ現代美術始まりの作家に会いに行こう

コンセプチュアル・アート道

便器と美術をひっくり返した
ひねくれ者な「現代美術の父」

マルセル・デュシャン

年代：1887〜1968　　出身地：フランス

「美術は見て感じるもの」「作品は作家が作るもの」という美術の風潮の中で、**デュシャンは「美術は頭で考えるもの」と主張し、買ってひっくり返しただけの既製品小便器を展示します。**大量生産時代に写真技術が登場するなど、**人より機械のほうが精巧なもの作りができるようになったことも影響**し、作品の見た目より作品の意味を大事にする作品が増えていきました。

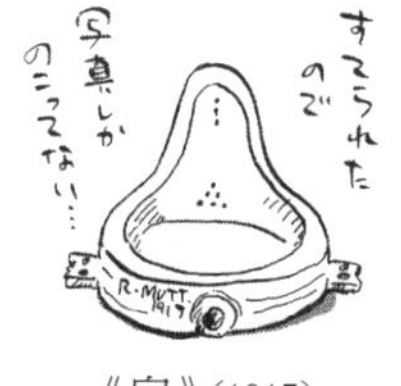

《泉》(1917)
小便器をひっくり返しただけなのに、現代美術史に残る大傑作！　当時は理解されず、破棄されてしまった。現在はレプリカのみ存在。

《遺作》※(1946〜66)
一部の親しい人のほかには誰にも言わず、内緒で作っていた遺作。大きなドアにある鍵穴を覗くと、股を開いた女性が倒れているのが見える。

※正式名《(1)落下する水、(2)照明用ガス、が与えられたとせよ》

ものを作らず、意味を作る！

「ものよりも意味を作る」美術道

美術道で最初に出会った作家はマルセル・デュシャンでした。彼は「現代美術の父」と呼ばれるほどの大作家ですから、この本の最初に紹介するにふさわしい人物でしょう。

では、彼はなぜ「現代美術の父」と呼ばれているのでしょうか？　ここで1つ、この本を読んでくださっている方に質問です。

「あなたは、美術とは何だと思いますか？」

美しいものを扱うこと？　絵や彫刻などの作品を作ること？　作品に触れて感動すること……？

おそらく、人それぞれ、さまざまな答えを考えたと思います。

しかし、**「美術とは何か？」にたくさんの答えが生まれたのは、実は結構最近のことだったりします。**

デュシャンが生きていた時代、美術は目で見て美しいと感じるものを作るもの、という認識がありました。

そんな時代の中で**デュシャンは、既製品の小便器を買ってきてひっくり返しただけのものを作品として展示**します。見た人は、「これは果たして美術なのか？」と考え始めました。

デュシャンは**作品の意味を考えさせる美術を提案しようとした**のです。そしてこのように、作品の見た目の美しさよりも、作家の考えた内容に価値があるとする美術が、デュシャンを発端にやがて「現代美術」と呼ばれるようになっていきました。

第1章では、「作品を見た人を考えさせる美術」を切り拓いた作家を中心に紹介していきます。

さて、デュシャンのことを詳しく見ていきましょう。

彼は先ほどもご紹介したように、**「もの作りをしない美術」を見つけた作家**でした。

ものを作らず、工業品として機械で作られた既製品をそのまま作品として出す「レディ・メイド」という方法を生み出したのが彼です（ちなみにレディ・メイドの対義語は、1つひとつカスタマイズして作るという意味のオーダー・メイド）。

ものを作る人が作家だと思われていた時代に「ものを作らない」ことを選んだ彼は、周囲から理解されません。「それは何だ!?」「ふざけてる!」とさんざんに非難されます。果てには彼の作品はゴミとして捨てられてしまうこともありました。

「現代美術、わけわからん」とよく言われますが、これは今に始まったことではないんですね。

当時から現代美術は理解されにくく、今で言う炎上を起こしやすかったのです。

しかし、**彼も理由なく突飛な主張をしたわけではありません。**彼が生きた時代に理由がありました。

彼が生きた20世紀は、まさに工業化が進んでいく時代。機械のほうが彫刻家よりも精巧なもの作りができ、絵より写真のほうがリアルに現実を写し取るようになった。そんな時代です。

ですから当時の美術家たちは、**自分がものを作ったり、絵を描いたりする意味って何なのだろう**と考えながら美術道を歩いていたのです。

次第に、美術家たちは道に行き詰まります。

「ものを作ることが美術」「けれど人じゃなくても作れる」という行き詰まりの中で、デュシャンが切り拓いた新しい道こそが、すでにでき上がっている工業製品をそのまま作品として展覧会に出品することでした。

それが、「作らないことも美術」という新しい道になったのです。

私よりスゴイことができるかな？

作らない美術があってもいい！　これからはものを作ることよりも、作家が何を考えたのかを示す作品を作るほうが大事な時代だというわけです。

デュシャン以前の美術道でも、「新しい美術」は模索されていました。デュシャンが憧れた作家、パブロ・ピカソも、目に見える色・形と違った表現を絵画の中で模索した作家です。

それでも、「作らない」ことを「選んだ」デュシャンの革命は、当時大きな衝撃をもたらしました。

デュシャンが発明した新ルール

①作らなくても、「選ぶ」ことが作品になる。絵を描くときに、絵の具や色や描く対象を選んでいるのと同じこと。作品として小便器を選んだだけ！

②美術は目で見て美を感じるものではなく、頭で美を考えるもの！　作家は作品の意味（コンセプト）を

作る存在！

デュシャンのスゴイところ

工業化により、人よりも機械のほうが精巧なもの作りができるようになったことで、作家は作品を作る意味を問い直すことになりました。デュシャンは、「ものを作らずに作品の意味（コンセプト）を作る」という提案をすることで、活路を切り拓きます。

こうして彼の主張となる「感じるな、考えろ！」は、1960年頃から流行する「**コンセプチュアル・アート**」という美術に発展していきます。日本語だと「**概念芸術**」と呼ばれるものです。

今も続く現代美術の根底

コンセプチュアル・アート！
ものより内容とかアイデアが大事なの！
本物だ！スゲー!!
へりくつでは？

には、彼のこの考えがあります。作品の美しさよりも作品に込められた意味（コンセプト）を見るという考えのもと、さまざまな作品が作られました。

いろいろな人から、「現代美術、わけわからん」と言われる理由の1つでもある、ぱっと見ただけではさっぱりわからない作品は、この時期から増えていったのです。ですからデュシャンは今も影響力の大きい現代美術の父なのです。

ちなみにデュシャン後の
コンセプチュアル・アートの有名作品・
ジョセフ・コスースの
《1つと3つの椅子》(1965)
椅子とはなんぞや……
立体
chair
文字
写真
写真の椅子と立体の椅子と椅子の説明文
どれも椅子だけどちがう！思考を刺激する！
「コンセプチュアル・アート道」

もっと自由にやりたい！デュシャンの若者時代

いったいどんな人生を歩んだら、こんな発想が生まれるのだろう？　と思いますよね。**デュシャンは天才すぎたゆえの炎上まみれな人生を送りました。**彼は画家と彫刻家の2人の兄を持ち、3人いた妹のうちの1人も画家になったほどの芸術一家で育ちます。

ピカソはむちゃくちゃな絵を描いていることで有名です。実はピカソは天才すぎて10代の頃には古典的な画法をすべてマスターし終えていたという話をご存じでしょうか。これと同じように、**デュシャンも若い頃にそれまでの油彩画の画法をほぼすべてマスターし終えていました。**

そんな天才だったデュシャンがたどり着いたのは、ピカソとジョルジュ・ブラックが編み出した「**キュビズム**」という画法です。

キュビズムとは、複数の視点から見たイメージを幾何学的図形で1枚の絵の中で表現しようとする技法のこと。これは、それまでの絵画の中で当たり前とされていた遠近法（単一の視点から描く手法）というルールを覆した革新的な技法でした。**デュシャンは画家としてキュビズムを熱心に研究していました。**

そして、25歳のときに、初めての炎上を経験します。1912年「第28回パリ独立美術家協会展」と

いう展覧会に、《階段を降りる裸体No.2》（1912年）という作品を出品したところ大ひんしゅくを買ってしまったのです。

この作品は、当時最新の技術だった高速連続写真を使って、さまざまな角度から撮影した人の動きのイメージを、1枚の絵の中に落とし込もうとした作品です。キュビズムの画法から発想を得た新しい技法

でした。けれど新しすぎて理解されず、当時のキュビズムの研究家に、「これはキュビズムではない」とこきおろされます。

また、当時キュビズムの裸体画は動かずに立っているか座っているか寝ているものでした。裸体が階段を上り下りするデュシャンの作品は、「なんて破廉恥なんだ！」「けしからん！」と言われました。せめて「階段を降りる」というタイトル部分を変えたら出品させてやる、などとさんざんな具合に言われます。

作家が自由気まま、やりたい放題、好き勝手しているように見える美術の世界も、実はかなりルールにうるさいのです。今の感覚で見ると、「そんなにこれってダメなことなの？」と思いませんか？

現代でもひんしゅくを買って取り下げられる作品があります。ですが、それも未来から見たら「そんなことで？」と思うのかもしれません。

おそらくデュシャンは、「こんながんじがらめな美術にいつか風穴を開けてやる」と思ったのでしょう。**伝統**

色が強いフランスに嫌気がさしたのか、デュシャンは当時、より新しい発想が受け入れられたアメリカに渡るのでした。

「当たり前」を壊したデュシャンの《泉》革命！

そうして**アメリカで作られたのが、冒頭でもご紹介した伝説の作品《泉》（1917年）です。**現物は残されておらず、作品写真とレプリカしか残っていないのです。なので、《泉》は文字通りの意味でも伝説です。

《泉》は1917年の「第1回ニューヨーク独立美術家協会展」に出品されました。これはアンデパンダン展と呼ばれる、無審査・無資格で、プロ・アマ問わず

いざアメリカ
1915年の夜〜〜

に誰でも作品が出せる展示です。

　アンデパンダン展は、若く意欲的だけどなかなか出展の機会がない作家にとって重要な役割を担っていました。しかし、いくらアンデパンダン展だからといっても、**ひっくり返しただけの小便器が送られてきたら誰だって困るでしょう。** 送られてきた小便器には「リチャード・マット」とサインされていました。**委員会の人たちはこのリチャード・マット氏の作品を展示させるかどうか悩み、議論を重ねます。**

　リチャード・マット氏が参加費を払っている以上、作

品を展示させないのはアンデパンダン展で最も重要な、平等を重んじるという理念に反してしまう。

　では、**ただ小便器をひっくり返しただけのものを「作品」として扱うべきなのか？　「作品」の概念がまるっきり変わってしまうのではないか……!?**　議論は白熱します。

　そして、デュシャンは、この委員会のメンバーでした。**したたかですね。** リチャード・マットという偽名で《泉》を出品し、「小便器は美術か美術じゃないか論争」を近くで聞いて楽しんでいたのでしょうか。性格悪っ！

　結局《泉》は展示されず、実物はゴミと間違われたのか、破棄されてしまいました。 本物の作品を実際に見たのは当時数人の委員会のメンバーだけです。

　では、なぜ作品は有名になれたのでしょうか？

　それは、展示拒否になってすぐに、デュシャンとその友達で発行していた雑誌にリチャード・マット氏からの抗議文が掲載され、世に発信されたからです（もちろんデュシャンの自作自演ということです）。

雑誌を見た若い作家を中心に、この作品の衝撃が広がります。ここから、既製品をそのまま作品にする「レディ・メイド」という手法や、彼の考え方を作品に取り入れる人たちが増えていきました。つまりバズったのです。

代表作《泉》はドスケベ

《泉》はさまざまな見方で、時代を経てもなお研究され続けている作品ですから、一般的に「難しい作品」というイメージがあります。一方で、**《泉》はシンプルにとてもエロい作品だったりします。**歴史を変えた重大作品がエロいというのは本当に笑ってしまうような話です。

レディ・メイドという手法は、既製品を何か別のものに見立てるという意味もあります。《泉》のイラストを見てみてください。男性用小便器をひっくり返して置いた《泉》は、股を広げた女性のように見えてきませんか？　小便器はここに男性が性器を出して使うわけです。性行為の暗喩としてとらえることもできます。

ちなみに日本だと作品名を「噴水」とも訳せるそうです。これを読んでいるのが中学生や高校生だったら、両親に意味を聞かないで《泉》がどんな見方をされているのか自分で調べてみましょう。**自分の力で本を読んだりして考えるのが現代美術です。**

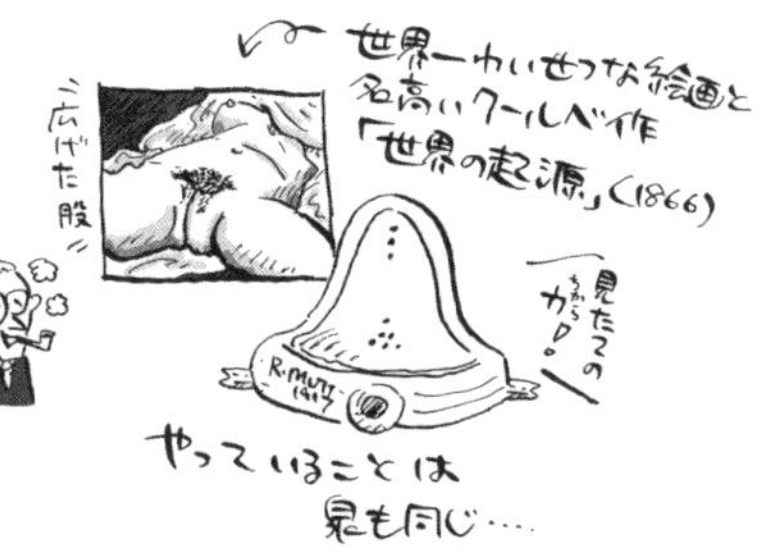

《泉》以外もドスケベ

デュシャンは性的なモチーフをしつこいくらいに扱いました。レオナルド・ダ・ヴィンチによる《モナリザ》の写真にヒゲを描いただけの作品は《L.H.O.O.Q》（1919年）。これをフランス語で読むと「彼女はエッチな気分になっている」です。

20世紀美術で一番難解だと言われている彼の《花嫁は彼女の独身者たちによって裸にされ

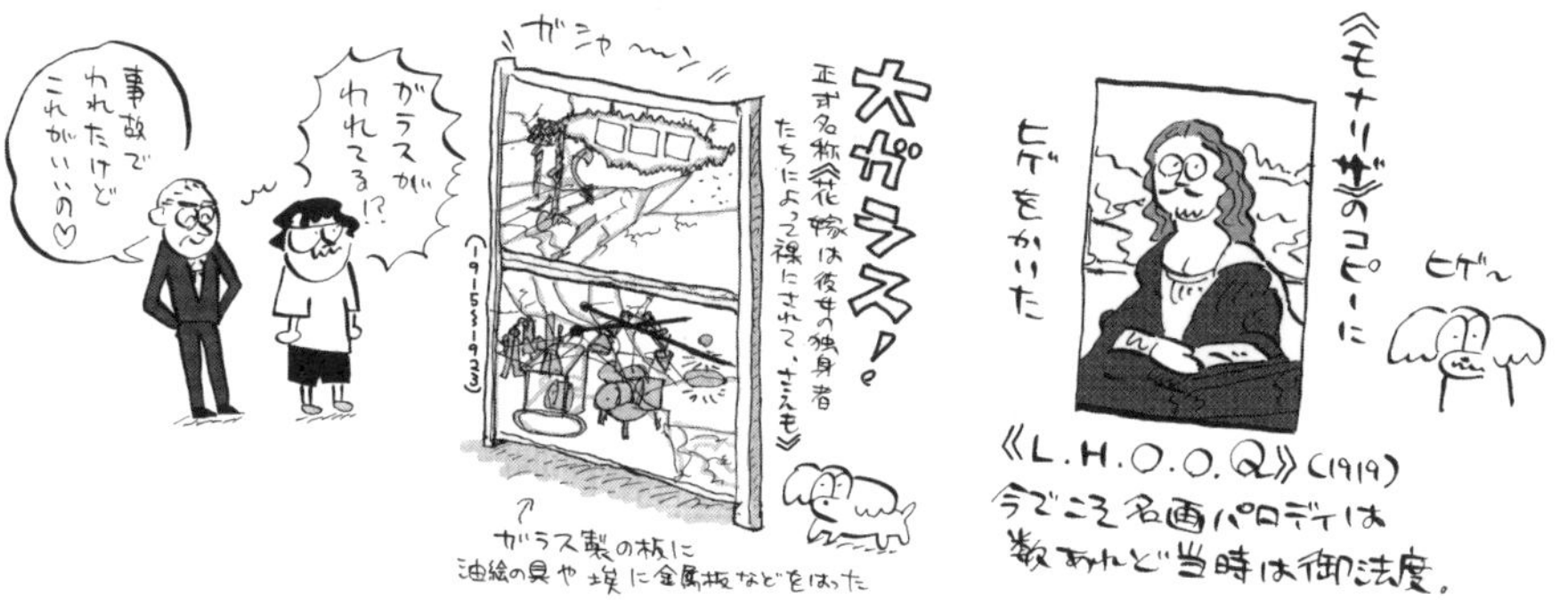

て、さえも》（通称《大ガラス》）（1915〜23年）という作品は、男女のいやらしいストーリーがモチーフになっています。

死ぬまで一部の人以外には誰にも見せずにこっそり作っていた《遺作》（正式名は《(1)落下する水、(2)照明用ガス、が与えられたとせよ》）（1946〜66年）は、木製の鍵穴を覗《のぞ》くと股を広げた女性が外で倒れている光景が見えます。

なんだかエッチな作品ばかりですね。

パッと見ると難解そうな作品も、読み解いていくと違った見え方にたどり着くかもしれません。

議論のタネだけ置いて、晩年はチェスをして過ごす

実はデュシャンが作品を作っていた期間は短く、彼は美術以上にチェスに情熱を注いでいました。彼のチェスの腕は、フランス代表選手になるくらいに強かっ

たそうです。

デュシャンの後世への影響は計り知れず、今では**現代美術の良し悪しは作品に込められた意味**（**コンセプト**）**で決まる**と言っても過言ではありません。

ここまで書くと、「**デュシャンはさぞ自分の作品の意味について饒舌《じょうぜつ》に語り、いろんな人を論破していったのだろうな**」と思うかもしれません。ですが、彼はほとんど自分の作品について語りませんでした。彼の考えが広まったのは、**彼の周りの人たちがどんどん論じたがったからです。**

彼はむしろ、自分の考えを煙に巻いていきます。

デュシャンは自分が書いた手紙の中で、「《泉》は女友達が送ってくれた」と言っています。これが嘘か本当かは、いまだにわかっていないのです。

もしかしたら、こうやって頭を悩ませている我々をほくそ笑んで見ているのかもしれません。

性格悪っ！

人間の無意識を表現してみせる！
「絵の具ぶちまけ作家」！

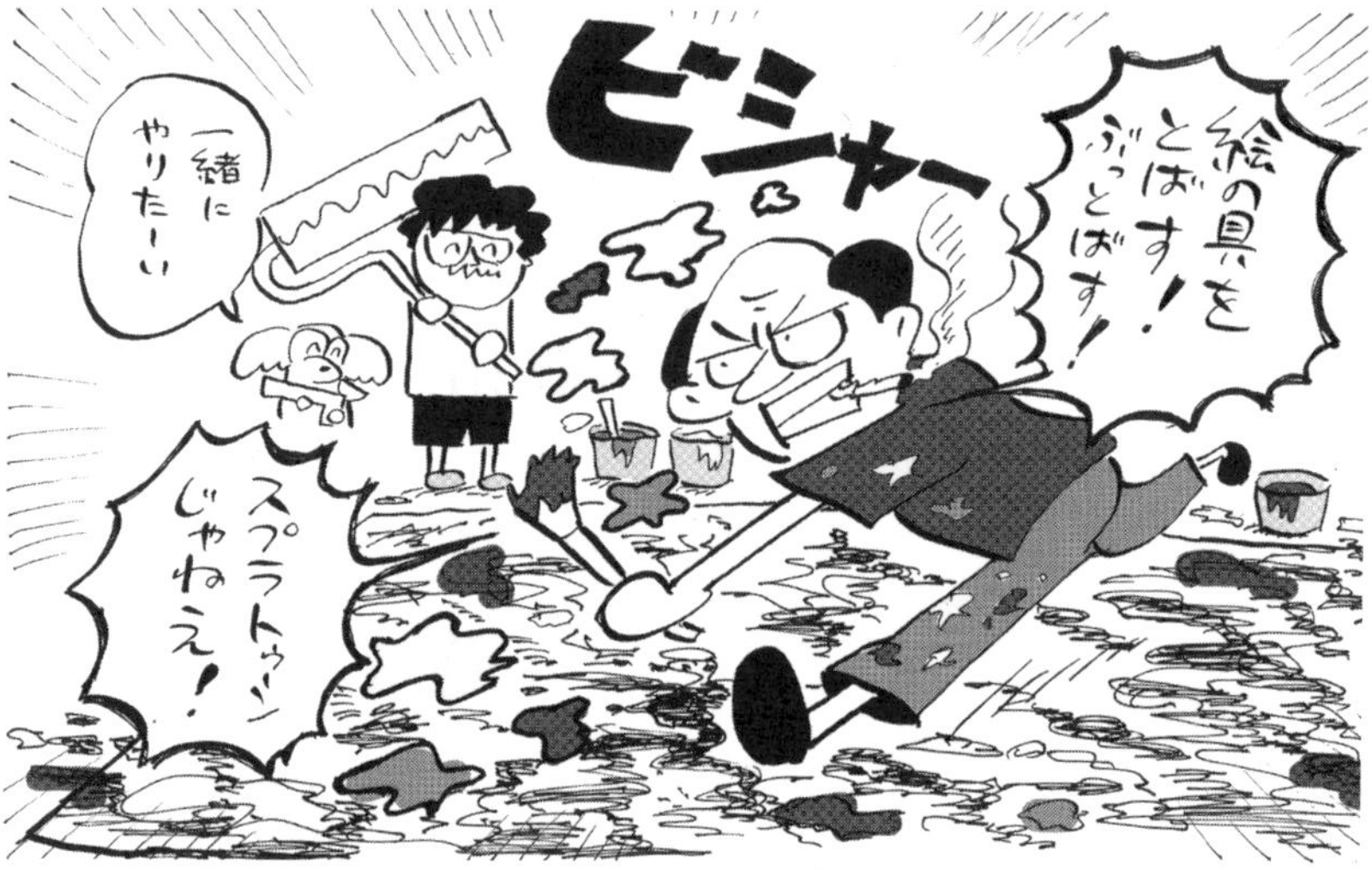

ジャクソン・ポロック

年代：1912～1956　　出身地：アメリカ

作品を作るとき、「何をどうやって作ろうかな」と考えますよね。しかし、「考えない」で作ろうとしたのがポロックでした。その結果生まれたのが、**絵の具を撒き散らすという方法**。そうすることで、人間の無意識が色や形に現れると主張したのです。この時代は、人間の無意識を発見した精神科医ジークムント・フロイトが大きな影響力を持っていた時代。彼は**無意識を取り入れた新しい美術道を切り拓いた**のです。

《五尋の深み》(1947)
絵の具をキャンバスに撒き散らす技法の「ポーリング」や「ドリッピング」が使われ出した初期作！

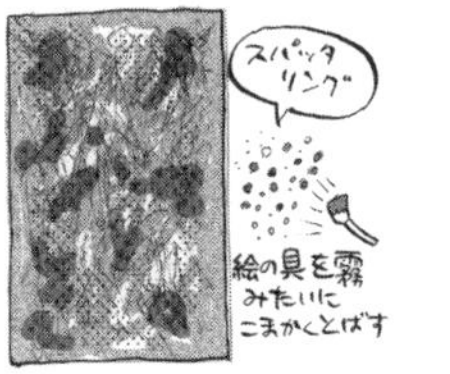

《No.5》(1948)
「スパッタリング」という技法が使われた作品。
2006年のオークションでは、
なんと約168億円で落札される！

なんだこの道…絵の具だらけできったねえなあ
ブンブン
ビチャビチャ
あそこにいるのが抽象画の革命家ことジャクソン・ポロックです！
ベチャー
絵の具を飛ばして今までにない絵の作り方でみんなをびっくりさせました！
中学の授業で習ったやり方だ何も新しくないやい！
それはお前の時代の話だろ！
ビチャ
ヒュッ
オレが最初だ！
1912年生
1995年生
気性の荒い人なんだね
それまで美術といえばフランスだったのを、彼を筆頭にした「抽象表現主義」の作家がアメリカに変えました！
アメリカのアート最強！
私が彼を売り出しました
批評家クレメント・グリーンバーグ
それまで芸術の都といえばパリ
時代はアメリカの抽象画に
美術館のよくわかんない抽象画はこいつらのせいか…
グチャー
キラー
デュシャンもフランスの伝統的な美術に飽き飽きしてアメリカで《泉》を発表したし…
現代美術はフランスの美術への対抗から生まれたところがあるかもね！
やったるでー
ウヒョー
今までの美術はムダだ
オレはお前らに対抗する!!
プンスコ
絵の具をたらすのが新しいならキャンバスを切り裂いたり、銃で撃つのはどうかな？新しいだろ？
もうやってる人いるよ
じゃあ何も描かないとか
死ぬほどやってる人いるよ
じゃあキャンバス食べるのは!?
お腹壊すよ…
くそー美術は後の時代になるほど不利だ……
デュシャンとポロックがやり尽くした
まだまだこの先新しい人が出てくるよ
トボトボ
やめてくれー俺らは何をすればいいんだ～

描かない革命

「描かない」美術道

ものを作らないデュシャンの次に紹介するジャクソン・ポロックは、「**描かない**」作家です。おそらく皆さんも、絵の具が撒き散らされたような絵を見たことがあるのではないでしょうか。わけわからないですよね。この作品のような、キャンバスに絵の具をたらしたり、全身を使って筆を振り、絵の具を撒き散らしたりする画法である「**アクション・ペインティング**」の始祖がポロックです。

まさに「誰でもできそう」な作品ですよね。どうしてそんな作品が評価されているのでしょうか。それは、**人間の無意識を表現する全く新しい方法をポロックが生み出したから**です。

ポロックが生きた20世紀中頃は、人間の無意識を発見した精神科医で心理学者でもあるジークムント・フロイトの影響力が強い時代でした。そして当時の美術界では、人間の無意識を表現する「シュルレアリスム」という表現が流行していました。そこでは、いろんな作家が無意識の夢の中で見たような景色を描いて人気を博していたのです。

ポロックは、精神表現としてのピカソの《ゲルニカ》(1937年)に衝撃を受けます。《ゲルニカ》は、世界で最も有名な反戦の作品です。この作品では暴力を前にした人間の精神表現が実現されていて、彼は〝**人の無意識を描いた表現でこれに勝るものは作れない**〟と衝撃を受けたのです。

その後ポロックは、「ピカソを超える新しい表現」を模索し、それまでの方法、つまり、「**自分が頭で考えたものをキャンバスに描くこと**」をやめます。そして、キャンバスを床に置いてそこに絵の具を撒き散らし始めたのです！

たしかに、そうすれば意識していない絵が生まれる！　ポロックは全く新しい技法で無意識を表現する方法を編み出したのでした。その発想はなかった！

ポロックのスゴイところ

精神科医フロイトの影響が大きい20世紀中頃。人間の無意識を表現するために、ポロックは「描かない」という新しい活路を切り拓きました。製造技術が発達し、「人」がものを作る意味が問われていた頃、ポロックは「人が描く絵」にしかできない表現を生み出して道を切り拓いたのです。

「ピカソを超えたい！」夢を持つポロック

彼の美術人生はピカソへの羨望と劣等感から始まります。彼は先に紹介したピカソの《ゲルニカ》を見て、「**ちくしょう、すべてピカソがやってしまった**」と悩むほどの衝撃を受けました。いつの時代の作家も、「**これ以上美術にできることはあるのか⁉**」と悩み、美術道の行き詰まりを感じるものなのかもしれません。

デュシャンにもポロックにも影響した！
すごいぞピカソ！
《ゲルニカ》
戦争の悲しみを絵にした！
スゲー！
ガーン
ピカソ
若いポロック

それでも彼は、お酒に溺れながらも、**なんとか《ゲルニカ》以上の表現の作品を作れないかと模索します**。そして、先述した「シュルレアリスム」という芸術運動に希望を見いだし熱中しました。

「シュルレアリスム」とは、日本語にすると「超現実主義」。**人間の意識の奥に隠れている抑圧された欲望を表現することで、人間らしさを取り戻そう**という美術表現です。代表的な作家に、ルネ・マグリット、サルバドール・ダリなどがいます。

ポロックはシュルレアリスムを模索する中でついに、**「意識的に描かない美術」**を発見したのです。

批評家グリーンバーグ ポロックを世に広める

そうして筆を振り、絵の具を撒き散らし始めたポロックを見て、「これこそ史上最高の画家だ!」と評価したのが、**アメリカの美術批評家であるクレメン

ト・グリーンバーグ**という人でした。

先のマルセル・デュシャンでも触れましたが、**第二次世界大戦が終わった後という時代は、まさに美術の本拠地がフランスからアメリカへと移っている最中**。

発展著しいアメリカに多くの作家たちが移住して、新しい表現が次々と生み出されていました。

グリーンバーグはアメリカで活躍し、20世紀で一番影響力を持った美術批評家です。彼はポロックをはじめアメリカの作家を世に広めた功績を持ちます。**彼らが生み出したムーブメントが決定打となり、芸術の都はフランスからアメリカに移ることとなるのです。**

無愛想で気難しいポロック、ポップな大衆娯楽を嫌う

　グリーンバーグやポロックなどが何よりも重要視したのは、「**新しさ**」でした。「**新しい**」**とは、**「**模倣していない**」**という意味です。**例えば、風景画は現実の模倣なので新しくない、と彼らは考えます。

　グリーンバーグは、**ポロックの絵を、**「**立体感のない『平面性』を追求している新しい絵だ**」と言いました。当時ほとんどの作家は、キャンバスの中に立体や空間があるように描いていました（遠近法なども、立体的に見せる手法です）。

　それに対して、「平面性」を追求しているポロックの絵は、より、**絵にしかできないことを追求している**とグリーンバーグは褒めたのです。「**絵にしかできない**」＝「**写真じゃこんなことできない**」ということです。

　そしてグリーンバーグは1939年に『**アバンギャルドとキッチュ**』という批評を出します。これは美術史上重要な批評文の1つとされるほど大きな衝撃を当時、世にもたらしたものです。

　アバンギャルドというのは「最先端」を意味するフランス語。そして、**キッチュ**とは「俗悪」「陳腐」という意味を持つドイツ語です。

　『アバンギャルドとキッチュ』の文章中でキッチュというのは、「大衆的な、商業芸術と着色活版画を掲載した文学、雑誌の表紙、挿絵、広告、てかてかした低俗な読み物、漫画、大衆音楽、タップダンス、ハリウッド映画等々」と設定されています。

グリーンバーグプレゼンツ
アバンギャルド
＆キッチュ
なにが描いてあるの？
自分が好きなものばっかり
マンガ
広告
みたものをそのまま描いた絵
何もマネしてない！新しい！自由！考えないと楽しめない！
今までの作品の模倣。古い。考えなくても楽しめる。プロパガンダ。

つまり彼らの言うキッチュとはざっくり言うと、「**すでにあるものの模倣だから考えなくても楽しめるもの**」という意味なのです。

彼らの理論で言うと、例えば**風景画は現実の模倣だからわざわざ頭を使って考えなくても誰でも楽に楽しめる。**風景画と比べてポロックの絵は模倣していない**アバンギャルドなもの（新しいもの）だから、考えないと理解できない**、というのがグリーンバーグの主張です。

ここでも出てきました「感じるな、考えろ！」。デュシャン以降どんどん、美術は考えなければ理解できない複雑なものになっていきます。

こうしてグリーンバーグの批評は多くの人の心を動かし、とくにポロックはスターになりました。

床に置いたキャンバスに向かって絵の具をしたたらせて絵を描くポロックは**今までにないかっこよさがありました。**描いている姿がパフォーマンスのようだったの

で、映像や写真もたくさん撮られます。

無愛想な表情に西部劇に出てきそうなルックスの彼が、今までに見たことのない技法で描く姿は、まさに自由なアメリカの象徴として一般の人たちにも支持されたのです。

ポップに消費され、破滅するポロック

けれど、ここから彼は皮肉な運命をたどります。グリーンバーグがアバンギャルドの代表格として押し上げたポロックの作品は、ポスターや雑誌の表紙として取り上げられるようになっていきます。つまり、**ポロックやグリーンバーグらが嫌ったキッチュそのものになってしまったのです。**

現代でも、展覧会のイベントでライブペインティングとして絵の具をぶちまけている様子を見るとわくわくするものです。ＴｉｋＴｏｋでポロックみたいな絵を描く

タイムラプス（低速度撮影）動画が人気になったりしますよね。

　ポロックの表現は、いつしか**現代美術っぽいものの象徴**のように扱われていき、手法はどんどん**模倣され続ける**ことになったのですが、彼にとって、それはどうしても受け入れがたいことでした。

　ポロックは自分の作品がキッチュな使われ方をされることに嫌気がさして、精神を病んでいきました。マスコミは彼の絵を無秩序だとか、無理解なことを言いました。そのたびに、ポロックは酒に溺れていったのです。

彼の作品を非難するメディアも多かった
やめてよ
パートナーのリー・クラズナー
なんだとコラー！
無秩序な絵だ！
子供が描いたみたい
酒
酒

　そしてずっと支えてくれたパートナーのリー・クラズナーを裏切って、若い愛人らを車に乗せている最中に何を思ったのか、急に暴走運転を始めます。愛人が止めろと言っても聞かずにそのまま、木にぶつかり即死したのでした。

44歳でした。

起こる（happen）こと全部作品！
「ハプニングマン」

アラン・カプロー

年代：1927〜2006　　出身地：アメリカ

無意識の表現として人間と作家の内面性を追求したポロックを「自分に酔っている！」と指摘して、人間と作家の外側に目を向けたのがカプローでした。**彼は美術館から外に飛び出して、街でパフォーマンスを始めます。**街で偶然起こる出来事も作品に取り込もうとしたのです。**美術の中で作家や美術館が特別視される風潮に対する抵抗の意味もありました。**

《流動体》(1967)
屋外で氷の塊を積み上げた作品！ 長さ約9メートル、高さ約3メートルもある！ どんどん溶けていって最終的になくなってしまう作品。

《庭》(1961)
部屋中にタイヤを敷き詰めた作品。
お客さんがタイヤに登ったり、触れたりした。
いろんな場所でこの作品は作られた。

なんだこの道？タイヤだらけだ
やっほーアラン・カプローだよー
これがぼくの作品なの！
ゴミ
うわー
ゴミ
また変なやつが出てきた
ゴミ
美術館を飛び出した場所で日常と美術をつなげる作品を作った人です
タイヤ～
タイヤも日常のものでしょ！
廃タイヤを使う作家は他にもいた！アメリカっぽいゴミ！
えっ？ゴミ屋敷が日常なの？
そういうことじゃない…
この作品はお客さんが触って登って鑑賞できます！
みんなー たのしんでるー？
こうやって空間をまるまる使う作品をインスタレーションと呼ぶようになるよ
アウトドアみたいだ
ゴロゴロ
そしてぼくが作った一番有名な作品はハプニング!!
最初のハプニング作品《6つのパートに分かれた18のハプニング》(1959)
お客さんも参加した何が起こるかわからないパフォーマンス
今使われているハプニングという言葉の語源！
えっ！すごい！
でもデュシャンとポロックより新しいことなんてできないと思ってたよ
ぼくも思ってた！ポロックで美術終わりかと思ってたから君も大丈夫！
カプローはポロックを研究して本も出した！
よんだ？
勇気が出てきたありがとう！
よーし次の作家に会いに行くぞ～
ゴロ
ゴロ
ゴロ
えっ一緒に行くの…
オエ～!!
ゴロゴロン

美術館から街に出よ

「偶然の出来事も作品にする」美術道

現代美術と言うと、「奇抜なことをしている、なんでもありな表現でしょ？」というイメージがありませんか？

この本で一番最初に出会ったデュシャンは、ひっくり返した小便器を台座に置いて、「人が作っていなくても美術」だと言いました。ポロックはキャンバスに絵の具を撒き散らしたことで、「描かない絵も美術」だと言いました。

2人とも、「なんでもありかよ！」と言いたくなるような、常識やぶりなことをしているように見えますよね。

それでもデュシャンは、展示するための台座に作品を置いています。ポロックは絵を描くのにキャンバスを使っています。

つまり、**どちらも美術館やギャラリーで展示されることを前提にしている作品なわけです。**そりゃ、美術館やギャラリーになければ小便器はただの小便器になってしまいますからね。

デュシャンやポロックが扱った美術というのは、美術館やギャラリーという、美術作品を展示するための特別な場所があり、そこには当然のように自分の作品を美術作品として見てくれるお客さんがいて、「すごいなあ」とか「わけわかんないなあ」とか考えてくれる人がいることを想定しているのです。

けれど、今から紹介するアラン・カプローという人は、**美術作品が本来展示される場所である美術館やギャラリーを飛び出して、なんでもない日常の街中で行うパフォーマンス作品を作りました。**美術館やギャラ

リーでなくても作品は展示できると主張したのです。

そして、彼の作る作品には**お客さんが参加**しました。例えば演劇などでは、用意された脚本を役者が演じて、お客さんはそれを見る、というのが普通ですよね。

そこにお客さんが参加するというのはどういうことかと言うと、**用意した脚本が予定通りに進まないということです**。お客さんは想定外の動きをしますし、誰がいつどうやって参加してくるかわかりませんから、〝偶然〟がいっぱい起こります。

また、**同じ作品を上演したとしても、全く同じことは二度と繰り返すことができません**。

ですから、カプローは自身のパフォーマンスのことを、**〝何かが起こる〟という意味の「ハプニング」だと言いました**。現代の作家でも美術館の外に飛び出して、街の中でパフォーマンスをしたり、作品発表をしたりする人はたくさんいますが、カプローは、その元祖と言えるでしょう。

さらに、今では一般的になっている「インスタレーション」という技法も、カプローがいち早く始めたものです。インスタレーションとは、部屋や家など、空間全体を使って作品を作るものです。カプローはお客さんを作品に参加させようとしますが、インスタレーションでは、お客さんを空間（作品）の中に物理的に入れてしまうのです。

カプローのスゴイところ

それまでの美術作品は、美術館やギャラリーで展示されることを前提に作られていました。それに対してカプローは、なんでも起こってしまう街中でも美術ができると主張します。「**美術はもっと広いところでなんでもできる！**」と言ったのです！

また、二度と再現できないパフォーマンス作品や、空間全体を使うために移動・保管が難しいインスタレーション作品を作ることで「美術館の外でしかできない美術」を模索しようとしました（今はパフォーマンスやインスタレーションも美術館に収蔵されるようになりましたが、当時は美術館に対するアンチテーゼでもあったのです）。

ポロックを超えたい！

どうしてカプローは美術館を飛び出して「ハプニング」なんてパフォーマンスを始めたのでしょうか？　**その一番大きなきっかけは、ポロックを超えるためでした。**先ほど紹介した画家のジャクソン・ポロックのことです。

当時のアメリカでポロックの作品のインパクトはとにかく強く、**ポロックの後、彼以上に新しい絵を描く作家はなかなか出てきませんでした。**

絵の具を撒き散らしたポロックのインパクトはたいへん大きなものでしたし、ポロックの絵は実物を見てもめちゃくちゃかっこいい。さらには、巨大なキャンバスを床に置いて体を振り回してまるでアクションをしているように描く「アクション・ペインティング」は、描いている本人すらかっこいい……。勝てる気がしない……。これでは皆、自信をなくしても無理ありません。

このような状況からカプローの戦いが始まります。カプローはアメリカ生まれの作家で、美術史を大学で教えるほどの美術研究者・美術史家でもありました。

カプローの若い頃というのは、まさにポロックが全盛期の時代。当時、

作品も本人もかっこいい……
ガーン！
ビュンビュン
ビチャッ！
アクション・ペインティング！
かっくいー!!

ポロックを真似してたくさんの作家がアクション・ペインティングをやっていたのですが、カプローもその1人でした。

初期のカプローはポロックに憧れますが、彼を超えることができないと悩みます。そこから次第に、**「絵画」では彼以上の作品なんて作れない**と考えるようになりました。

カプローは、「ジャクソン・ポロックの遺産」という論文を書くほど熱心にポロックについて研究していました。大学で美術史を教えるほど勉強しているカプローが超えられないと悩むくらいですから、ポロック以降、本当に美術道は行き詰まっていたのですね。

けれど、カプローは諦めませんでした。

そう、**たしかに絵画ではポロック以上の作品を作るのは難しいかもしれない。では、絵画の形をしていない美術で勝負してみよう、と考えたのです。**

また、ポロックの絵は人間の無意識を扱おうと人(作家)の内面にばかり目を向けていたことから、「自分に酔っている」という評価をする人もいました。カプローは、自分の内面に閉じていた美術を開いて、他人や偶然の出来事を作品に取り入れようとしたのです。

偶然が起こる絵の次は、偶然が起こるパフォーマンスだ！

カプローは、ポロックが偶然や無意識という要素を作品に取り入れた発想を素晴らしいと思い、ポロックが偶然や無意識を絵の中に取り入れたように、これをパフォーマンスに取り入れようとしました。

彼は1959年にニューヨークのルーベン・ギャラリーで《6つのパートに分かれた18のハプニング》(1959年)という作品を発表します。**この作品で、世界で初めて「ハプニング」という言葉が使われました。**

この作品は、透明なシートで分割された6つの部屋それぞれで、各部屋で3種の、計18のパフォーマンスが同時に行われるという内容でした。しかも、**お客さんも部屋の中に入っていって、そこで行われるパフォーマンスに参加するというものでした**。

展示されているものが美術作品であると予想できて、作品を見たいと思う人が訪れる美術館と違って、**一度外に出れば、そこは何が起こるかわからない場所です**。

どんな人が来るかもわからないし、事故だって起こりうる。**そこで偶然に起こるすべての出来事を取り込んで作品にする**。そんなパフォーマンスが「ハプニング」と呼ばれて、評判になったのです。これまでにない全く新しいものとして、一気に注目されます。

ちなみに、「ハプニング」という言葉は日本語としても定着している言葉ですが、本来のニュートラルな「起こる」という意味よりも、〝思いがけない出来事〟〝パ

ニック〟のニュアンスを帯びて使われることが多いと思います。それは、この「ハプニング」という現代美術用語を起源としているからです。

ハプニング作品が流行したとき、日本のテレビ番組などマスコミは、〝海外で流行している奇妙なもの〟として紹介しました。ですから日本では、思いがけない出来事や奇抜な事件を「ハプニング」と呼ぶようになったのです。

《6つのパートに分かれた18のハプニング》
(1959)
お客はイスを移動させられたり絵を描かされたりした。
シートで区切られた6つの部屋でそれぞれ3種のパフォーマンスが行われる！

ジョン・ケージに影響を受ける

カプローは急にハプニングのアイデアを思いついたわけ

ではありません。彼は、ジョン・ケージという作曲家にヒントを得ました。ケージは、日本の有名な音楽家である、坂本龍一が影響を受けた人としても有名ですね。

ケージの代表作は《4分33秒》（1952年）という曲です。現代美術があるように、現代音楽というものがありますが、ケージは現代音楽の父と呼ばれる人です。この《4分33秒》という作品はなんと、**ピアノの前に座って全く演奏をしない**というものです。

演奏のない時間が過ぎていく……。それって音楽なの？　と思いますよね。

でも、演奏がないことでその場が無音になるわけではありません。せきの音や、服がこすれる音などがしますね。この作品は、**音楽家が演奏を**

しないことで、音楽家の意図しない偶然の音に観客が耳を澄ますことを狙《ねら》った作品だったのです。カプローはこの作品に大きな影響を受けたと言われています。

空間全部が作品！「インスタレーション」始まる！

ポロックの絵はとても大きかったため、画面の前に立つと作品の中に入ったような感覚になりました。

その感覚から着想を得て、カプローは、**部屋中にタイヤを山のように敷き詰めた《庭》（1961年）という作品**を作りました。

これは、部屋中に敷き詰められたタイヤを登ったり跳んだりしながら鑑賞するというもので、先ほどご紹介した「インスタレーション」と呼ばれる表現技法です。

ポロックと違って**見に来た人を物理的に作品の中**

に入れてしまったのです。

もっと他者と関わる！日常を侵食する美術

ちなみに、**ここで出てくるタイヤにも意味があります**。当時、作品の中に日用品やガラクタを使う作家が増えていました。

当時大きな影響力を持ったポロックは、見る人に「考える」ことを要求しました。次第に、難解で見る人を置き去りにしていると後の世代の作家は考えるようになってい

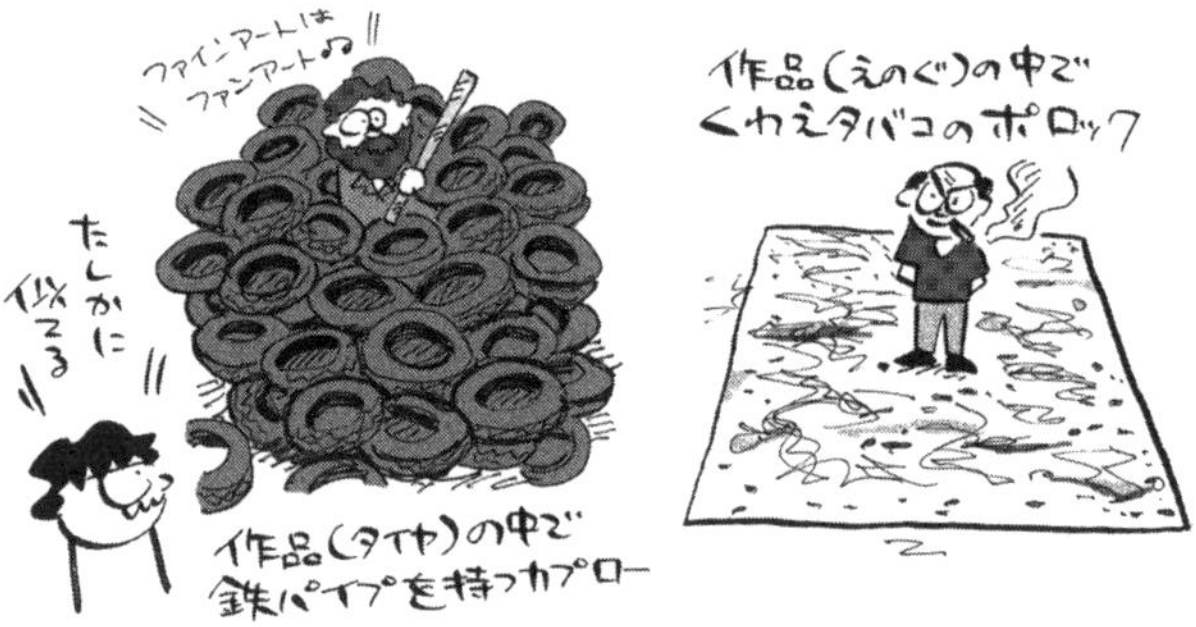

ました。

そこで、見る人にとって身近でわかりやすい日用品を使った作品を作る作家が増えていくのです。

この、日常と美術をつなげようという流れからは、大衆文化をどんどん模倣する「ポップ・アート」という表現が生まれます。

このポップ・アートは、「唯一無二」「新しい」「マネしない」ことを誇りとするポロックら「抽象表現主義」の時代をボコボコにしていくのですが、ポップ・アートについては第2章で紹介しますのでお楽しみに！

「美術はなんでもあり！」広がる美術の世界

カプローが始めたハプニングや、お客さんが参加するインスタレーションによって、美術の舞台はどんどん広がっていきます。

カプローの代表作の1つに、氷の塊をマインクラフトのブロックのように屋外に積み上げた《流動体》（1967年）という作品があります。これも、時間が経てば溶けてなくなってしまう作品であり、美術館やギャラリーを飛び出さないとできない作品です。

カプローは、**「この世界すべてをアートのために使うことができる」**と言いました。**新しい美術を作るために、美術がやっていいことを広げた**のです。

美術がなんでもありのものになってきたのは、彼の影響も大きいと考えることができます。

何が起こるかわからない美術から〜
ゴロゴロゴロ
簀《す》巻《ま》きにされるとは思わなかった…

人の心にイメージを想像（イマジン）させる「平和の伝道師」

オノ・ヨーコ

年代：1933～　出身地：日本

「意味を考えさせる」作品が増える中、ヨーコは「想像（イマジン）させる」作品を作ります。そしてカプローが美術館やギャラリーの外に作品を展開したように、**ヨーコも街の看板や音楽をメディアにしてたくさんの人にアプローチしようとしました。**ベトナム戦争が激化する1960年代に**ヨーコは美術を使って平和のイメージを人の心に作り出し、想像（イマジン）させようとした**のです。

《カット・ピース》(1964)
舞台に座るオノ・ヨーコの服を観客がはさみで切って持って帰れる「ハプニング」作品！

音楽アルバム『ヨーコの心』(1970)
オノ・ヨーコが出した音楽アルバム！メッセージを強く叫びパンクロックを先駆けたとも言われるとか！

バラバラ
ボッボッボッ
カプロー
空から
女の子が！
日本から
やって来た
オノ・ヨーコ
です
彼女もお客さんが
参加する
ハプニングを
やったんだよ
YES
カプローの
後だと弱く
感じそうだなあ
ドーン
お客さんが、
ステージの上で
動かない彼女の服を
切って持って帰れる
《カット・ピース》
裸になるまで
やりました
ジャキ
ジャキ
お客
弱いとか
言って
ゴメン
なさい！
当時デュシャン
から始まった
コンセプチュアル・
アートは最盛期！
ベトナム戦争があり、
オノ・ヨーコは
反戦メッセージを伝える
コンセプチュアル・
アートを街の看板や
メディアで
発信します！
WAR IS OVER!
IF YOU WANT IT
街の看板に
反戦メッセージを
出した！
こんなことを
した日本人が
いたんだ！
日常に
美術
音楽でも
メッセージを
伝えたの！
夫の
ジョン・レノン
と組んだのが
「プラスティック・
オノ・バンド」！
ズギャン
ギャン
えっ
ジョン・レノンと
結婚してたの！
ビートルズの？
ジョン
レノン
知らな
かったんだ…
ギャー
彼女の作品には「YES」
という前向きな言葉が
たくさん出てきた！
ねえ
ぼくも
バンドに
入れて！
NO
自分の意見を
はっきり言える
人だなあ…
我の強い
NYで
闘った人
だしね…

「想像(イマジン)させる」美術道

次はオノ・ヨーコという人を紹介します。

美術に詳しくない人でも彼女の名前を知っている人は多いのではないでしょうか。

ヨーコは世界一有名なバンド、ビートルズのリーダーだったジョン・レノンのパートナーとして知られていますが、現代美術作家として大きな功績を残した人でもあります。

ヨーコが本格的に活動していた1960年代のアメリカは、それまでの古い価値観を否定するような、さまざまな文化が登場した熱い時代です。

自由を求めたヒッピーと呼ばれる若者が出てきて、音楽を含む当時のポップカルチャーに大きな影響を与えていました。ヨーコも、美術だけでなく、音楽や平和運動など幅広い活動をして多くの人にメッセージ

を届けようとします。

この頃美術界では、コンセプト(意味)が大事、というデュシャン以降に生まれた「コンセプチュアル・アート」も大盛り上がりを見せました。ヨーコもその頃に活躍した作家です。

彼女は、作品を見たり参加したりしたときに、人は何を考えて、何をイマジン(想像)するのかに焦点を当てた作品を作ります。

ヨーコは第二次世界大戦を経験したのですが、12歳の頃、東京大空襲を家の庭にある防空壕で過ごして田舎に疎開。食糧不足の問題を抱えたときに、元気のない弟を見て、「何が食べたい?」と尋ね、食事を想像してみるように言ったそうです。

2人で「空想メニュー」を思い浮かべて、弟が「もう大丈夫」と楽しそうにしてみせたことを、ヨーコは「想像させる」最初の原体験だと言っています。**彼女は作品そのものよりも、その作品を見た人に何を想像さ**

せるかということを大切にしたのです。

ヨーコのスゴイところ

ヨーコは1960年代のヒッピーも活動する自由な時代背景の中、反戦のメッセージを伝える作品や、自分の中の隠れた暴力性に気づかせるような作品を作りました。メッセージをたくさんの人に届けるためにメディアにもどんどん露出していき、世間的にも強い影響力を持ちました。作家1人で作品を完成させず、見る人を巻き込もうとしたのです。

大きな知名度を持つようになるヨーコの生い立ち

ヨーコは20歳でニューヨークのサラ・ローレンス大学に音楽と詩を勉強するために留学。その後はイギリスに渡り、ヨーコの展示を見に来たバンド、ビートルズのジョン・レノンと出会います。当時、ビートルズは名実ともに世界一人気のバンドで、リーダーのジョンは世界中の憧れでした。

展示会場でジョンは、《天井の絵》（1966年）という作品を見ます。これは、梯子《はしご》を上って虫眼鏡で天井を見ると、天井に小さく「YES」と書いてある文字を見つけることができる作品です。

そこに書いてあった**「YES」というポジティブなメッセージ**に心を打たれたジョンは、いっきにヨーコに興味を抱いていきます。

YES
YES
ドキッ♡
なんだこの人…
マジっ？
当時ビートルズをほぼ知らなかったので興味のないオノ・ヨーコ

そして、2人は結婚するわけです。

それまでは新進気鋭の芸術家という立場のヨーコでしたが、ジョンとの結婚で、とてつもない知名度と発信力を手に入れることになっていきます。そしてこのことが、メディアを通じて作品を世に発信していくきっかけになりました。

人の心の奥底にある暴力性を引きずり出す《カット・ピース》

とは言いつつも、ジョンと結婚する前から彼女の作品の斬新さは強い影響力を持っていました。

美術作品を見ると、自分でも気づいていなかった感性とハッと出会うことがあるものです。ヨーコはそのような作品を作るのがとても上手でした。**作家の考えたコンセプトを、作品を見た鑑賞者にとっても自分ごととして持ち帰ってもらえるような作品を作っていた**のです。

彼女の初期の代表作《カット・ピース》は、**対峙《たいじ》することで、自分の中にある暴力性と出会ってしまう作品**です。このパフォーマンスは、スーツを着て舞台に座るヨーコに対して、観客がそのスーツをハサミで切って一部を持ち帰ってもいいというものでした。

作家のエゴを押し付けるパフォーマンスではなく、観客が選んで持っていくことのできるパフォーマンスを作ろうとしてできたのだそうです。

一方でこれは、社会的な弱者が暴力的に何かを盗《と》られていくような状況にも見えます。

これをアメリカでマイノリティ（少数派）だった東洋人の女性作家が発表するというのは、かなり衝撃的だったそうです。

参加する人は自分の中にある暴力性に向き合わされるし、人にハサミを向けて皮膚の近くで動かすのはどんな相手に対してでも怖いだろうと思います。

音楽へも影響大!?

ジョンと出会ったことで、ヨーコの表現方法に音楽が追加されます。そもそもヨーコは大学時代に詩と音楽を専攻していたのですから、相性がよかったわけです。**彼女が出した詩集の『グレープフルーツ』（1964年）の中にイマジン（想像してごらん）という言葉がたくさん出てきていて、それを元ネタにジョンの「イマジン」という曲ができました。**

この曲は、アメリカレコード協会に世紀の曲と認定されています。

当時アメリカはベトナム戦争に参戦していて、反戦のための曲をジョンとヨーコでたくさん作っていました。ジョンと組んだプラスティック・オノ・バンドで作ったアルバム『ヨーコの心』を、ぜひ一度聴いてみてください。

ヨーコの歌う曲は、がなりながら直接的なメッセージを叫ぶようなものが多くて「なんだこの気持ち悪い

曲は!」と当時めちゃくちゃ批判されていましたが、真偽のほどはわからないまでも、**実はこれが70年代の後半から流行する音楽ジャンルのパンクロックの源流になっているのでは**という声もあります。

『ヨーコの心』の8年後くらいに政治的なメッセージをがなりながら歌うセックス・ピストルズが現れて、世の中にパンクロックのムーブメントが起こります。**私は、ヨーコは音楽にも道を作ったと考えています。**

ああああ
あああ
ズギャン
ズギャ
ギャーン
スゴイ音…

みんなが願えば戦争は終わる

ジョンとヨーコはとてつもない発信力を活かして、ベトナム戦争を美術の力で止めようとします。

その有名な作品の1つが、2人でベッドで過ごすとアナウンスした《平和のためのベッド・イン》（1969年）という作品でした。

テレビや新聞や雑誌などのメディアの取材陣は、2人がいやらしいことをしている様子が撮れるかもと嬉々《きき》としてカメラを抱えていきましたが、そこで2人はただベッドの上から平和の

オノ・ヨーコとジョン・レノン
《ベッド・イン》
（1969）
HAIR PEACE
BED PEAC
これが戦争への抗議活動です
ベトナム戦争の兵士は髪を短くしていたので、自分たちは抗議のため髪をのばしますと言ったり

メッセージを伝え続けたのです。

2人は常に注目され続けていました。何か行動をすればそれが報道されてしまう状況を逆手にとってメッセージを伝えようとしたのです。

そして街の看板に巨大な《WAR IS OVER! IF YOU WANT IT（あなたが願えば戦争は終わる）》（1969年）という広告を出しました。

街の看板は基本的に何かを買わせるための広告を、企業がその枠を買って出すものです。**彼女たちはその枠を音楽で稼いだお金を使って自ら買い、作品にしたのでした。**大きく文字を打ち出したグラフィックデザインのような作品は、彼女のアイコンの1つになっています。

前の項で紹介したアラン・カプローはお客さんが参加して関われるような作品を作りましたが、ヨーコは見る人にイメージを想像させようとしたり、巻き込んだりする作品を作っていったのです。

ヨーコは、見た人に意味を考えさせるコンセプチュアル・アートの作品を、メディアを通じて世に発信し続けました。美術館やギャラリー内でのみ展示する場合と違い、たくさんの人に届いたことによって、共感する人もいましたが、反発も多く生みました。それでも彼女は反発をはねのけるように、人の心を動かすための作品を発信し続けたのでした。

2022年には渋谷の街頭ビジョンに平和のメッセージを出して話題になりました。

次は、さらに直接的に美術で社会を変えようとした作家を紹介します！

平和な世界を想像してごらん
MODI
平和な世界を想像してごらん
MODI
2022年には渋谷の街頭ビジョン8カ所に平和のメッセージを出した。

バラバラバラ
またね〜
いそがしい人だからどこかへ行ってしまった…
パワフルな人だよね

美術で社会を作り直す「社会彫刻家」

年代：1921〜1986　　出身地：ドイツ

ヨーゼフ・ボイス

街に飛び出て人の心を動かそうとする動きの先で、**ボイスは社会そのものを美術で作り直そうと試みます。**社会を変えようとする人の創造力があるなら、政治や教育なども美術だと主張したのです。彼は第二次世界大戦時、ドイツ空軍兵でした。**戦後、市民の創造力で混沌《こんとん》としたドイツが秩序を取り戻していく様子を目の当たりにして生まれた主張**でした。

《私はアメリカが好き。アメリカも私が好き》(1974)
ニューヨークのギャラリーで1週間コヨーテと暮らすパフォーマンス。この作品をするためだけに飛行機でドイツからアメリカに渡った！

《7000本の樫《かし》の木》(1982〜87)
ドイツのカッセルに7000本の樫の木を植林するプロジェクト。市民も関わって、みんなでボイスの言う「社会彫刻」を体験した！

あそこにいるのが大スター作家ヨーゼフ・ボイス。対話することを作品にしました!
ここを通りたければ私と対話しなさい
対話が作品になるわけねえだろはい論破!
令和の若者こわっ!
彼は社会をよりよく変えるのが美術と言ったのでした。対話も社会を変える手段です
社会変えたきゃ選挙行け!投票しろ!
うおお
選挙は出馬したことあるよ
うわあああ論破されたああ!
社会を作り変えることも美術だと言った人なのです
ドイツの道に7000本の樫の木を植える作品を作った!社会が変わったろう?
選挙に議論、植林…この人ホントに美術作家なの?
彼も面白いパフォーマンスをしてたんだよ
ガルル
いたいいたいッ!
野生のコヨーテと1週間ギャラリーで暮らしたよ
コヨーテ
ヤバ…
でも7000本の木を植林するのは環境によさそうでいいよね
よし!今日は特別に一緒に木を植えよう!
7000本植えるぞ~
ぎゃあああ植えたの全部杉だったああ
目がああああ!
花粉

「社会」を「彫刻」せよ!

「社会彫刻」美術道

2023年現在の美術の成り立ちをさかのぼると、まずぶつかるのがヨーゼフ・ボイスです。

1960〜70年代はデュシャンから発展し、先のオノ・ヨーコでも取り上げたコンセプチュアル・アート（作品自体よりコンセプト（意味）が大事）が大盛り上がりを見せた時代です。

ボイスも最初、コンセプチュアル・アーティストとして活動を始めます。その後は、「作品そのものより見た人が何を考えたかが大事」というコンセプチュアル・アートから、**「作品を作るより社会を作り変えるほうが有意義」**と主張するようになります。

考えたコンセプトを作品に反映させようとするのではなく、そのコンセプトを社会に直接反映させようとしたのでした。

そのように考えたのは、ボイスの人生経験が大きく影響しています。

ボイスは第二次世界大戦時にドイツ空軍の通信兵として従軍、戦後にアーティストとしてのキャリアをスタートしています。

1950年代の初期、ドイツはまだナチス時代の経験と罪悪感の精神的なショックから立ち直れずにいました。その後、東西冷戦も経て、大きなショックからの秩序の回復という過程を経ながら、**人々の意思によって社会が新しく形作られる様子を目の当たりにします。**

人々の意思によって社会が変わる。すべての人間が創造力を持って社会に働きかけることができる！

そう気づいたボイスは、当時のドイツ政治について討論会をする作品を作ったり、社会問題について対話する場所を作品で作ったりしたのです。

デュシャンは小便器をひっくり返して新しい美術の大きな道を切り拓きましたが、ボイスが作った道も同じくらい大きいものでした。

ボイスはデュシャンに対して反抗心があって、彼の時代を終わらせることを試みていました。

ボイスはスター作家となりテレビやメディアにもたびたび出るような作家だったのですが、メディアに**《マルセル・デュシャンの沈黙は過大評価されている》**（1964年）というプラカードを持って出演したこともあります。

プラカード!
DAS SCHWEIGEN
VON MARCEL DUCHAMP
WIRD
ÜBERBEWERTET
チョコやフェルトがくっついてる
《マルセル・デュシャンの沈黙は過大評価されている》(1964)

デュシャンは自分の作品についてほとんど話さなかった人ですが、ボイスは逆で、たくさん話して美術界に新風を吹かせたのでした。

ボイスのスゴイところ

第二次世界大戦後、敗戦からの回復を見せるドイツで、ボイスは社会が人々の意思や創造性によって新しく形作られることを目の当たりにします。これをきっかけにボイスは、人の創造力に可能性を見いだし、社会と美術を結び付けました。「社会を変えようとする人は誰でも美術家」だと言ったのです。

第二次世界大戦時空軍兵だったボイス

ここでボイスの人生をよく見ていきましょう。ボイスは1921年にドイツで生まれました。第二次世界大戦のときには空軍兵として従軍していたのですが、戦闘機がクリミア半島に墜落して、**現地の遊牧民に助けられたことがあると、ボイス本人は語ります。**

遊牧民がボイスに脂を塗って、フェルトにくるんで暖かくして助けてくれたそうで、この経験からボイスの作品にはフェルトや脂肪がよく出てくるようになるのでした。**ボイスいわく、フェルトはエネルギーの象徴。**

戦争が終わってから、23歳のときにデュッセルドルフ芸術アカデミーに入学して美術の勉強を始めます。50年代に初個展も開きますが、その頃の彼は全くもって無名でした。その後、コンセプチュアル・アーティストとしてどんどん頭角を現していきます。

先住民の象徴、コヨーテと暮らす

ボイス初期の代表作の1つが、1974年に作られた《私はアメリカが好き、アメリカも私が好き》という作品でした。これは、ニューヨークの画廊で人間とは誰とも接触せず動物のコヨーテと1週間一緒に暮らすというパフォーマンスでした。

その内容というのは、こうです。

ドイツからアメリカにやってきたボイスはまず、人に会わないようにフェルトに全身をくるまれて、用意された救急車に乗ります。救急車はサイレンを鳴らしながらギャラリーの前まで走り、フェルトにくるまれたままのボイスは、彼に会おうと集まった人たちには目もくれずギャラリーに入り、**コヨーテとの共同生活を始めます。**

噛《か》まれたりしたら危ないのに、なぜこんなことをしたのでしょうか。

大航海時代にクリストファー・コロンブスがアメリカ大陸を発見してから、アメリカにはヨーロッパからの移民がどんどん増えていきました。アメリカ大陸にもともといた先住民から土地を奪ったりして今のアメリカがあるわけです。

そしてコヨーテというのはアメリカ大陸にもともと住んでいた先住民が、神聖な存在として、とても大事にしていた生き物でもあります。

ヨーロッパから海を渡ってやってきた移民たちはアメリカで侵略活動をしましたが、ボイスは海を渡ってアメリカに着いてから、**先住民の象徴としてのコヨーテと共生を図ろうとしたのです。**

このパフォーマンスを見た観客にとって、自分が住んでいるアメリカの歴史についてや、過去の侵略があって今の自分たちの場所があることについて考える機会になりました。

当時のボイスはこういったコンセプチュアル・アートのスター作家として有名でした。

《私はアメリカが好き。アメリカも私が好き》
(1974)
フェルトにくるまるボイス
それをかんでひっぱるコヨーテ
ガブー
ググ…
コヨーテかわいい
ちらばる新聞紙

美術が作るべきは、よりよい社会

ボイスはその濃いキャラクターと芸能人のようなルックスで、作品より本人のほうが有名になります。メディアへの露出もたくさんありました。

ボイスは**最終的には新しい社会を作ろうとします。**どういうことだろうと思いますよね。

美術作家が最終的に作るべきは作品ではなく、「よりよい社会」であるのだ！　つまり社会を彫刻しなければいけない！　という「**社会彫刻**」という概念を生み出したのです。

たまに、「**俺の作品で世の中を変えてやるぜ！**」と言う人がいたりしますよね。私はそういうことを言うバンドや作家が大好きですが、ボイスが言う「社会を彫刻する」というのはもっと直接的な意味を持ちました。どういうことかと言うと、ボイスは議員に立候補して政治に関わろうとします。しかも2回も（落選しました）。

国を直接動かせるのは政治家ですから、政治家になれば社会を彫刻できると思ったわけです。**政治も宗教も美術だということです**。すごいですよね。

そして、現状の政治や社会問題について討論をしたり対話したりする場所をたくさん作りました。ボイスは大学の先生もやっていたのですが、学生に社会問題や美術について対話させることをたくさんしました。今で言う対話型学習というものでしょうか。

自発的に発言させることで、当時の問題を自分のこととして考えさせようとしたのです。

社会を変えようとする人は誰でも美術家

ボイスは、「**人は誰でも美術家**」と言いました。これは「絵や彫刻は自由だから、作品の良し悪しはなくて創作をする人は全員美術家のようなものだ！」みたいなメッセージではありません。

学校の図工や美術の先生は「自由にやりましょう！」とよく言いますが、同じく学校の先生をしていたボイスはそういうことは言いませんでした。

彼は、「**考えて社会を変えようと行動する人はみんな美術家だ**」という意味で言ったのです。

つまり、考えて社会のために行動せよと言ったのですね。

今では、このボイスの考えが現代美術のスタンダードになっています。

最近の現代美術を見ると、造形物や絵どころか、作品物体すらもはや登場しなくて、社会問題について調査して発表したり、ディスカッションする場所ができていたりします。そしてその大元をたどっていくとヨーゼフ・ボイスという作家がいるのでした。

ボイス以後、美術の範囲はこれでもかというほど拡張していったのです。

歴史を思い出させる
「記憶の発掘者」

ジュディ・シカゴ

年代：1939～　　出身地：アメリカ

「新しさだけでなく、過去を思い出す必要もある」と主張したのがシカゴです。ボイスは美術で社会を変えようとしますが、彼女は**美術や社会の歴史から見落とされた「女性」に注目**しました。今も女性であるだけで認められない作家たちがたくさんいますが、彼女は当時そのことを指摘し、見えないふりをされてきた女性の過去を扱おうとしました。

《ディナー・パーティ》(1979)
歴史上に残る女性の英雄を集めた晩餐会をイメージして作られた祭壇のような作品。ジュディ・シカゴの代表作！

《ウーマン・ハウス》(1972)
一軒家の中をそのまま作品にしたもの。学生や他の作家と共同制作された作品で、結婚、出産、家庭をテーマにした作品や演劇の公演も行われた。

あなたの「社会」に「女性」はいる?

「歴史を掘り起こす」美術道

ここまで、新しい作品を作って美術道を開拓してきた作家たちを紹介してきました。しかし、この本でご紹介できる作家はもちろん、ごく一部です。**ものすごくいい作品を作っているのに、誰からも認められずに、歴史に残らなかった作家ももちろんいたでしょう。**

有名な話では、画家のフィンセント・ファン・ゴッホは生きている間に1枚しか絵が売れなかったと言いますが、今ではピカソに並ぶ大巨匠として評価されるようになりました。このように、美術道に埋もれてしまった可能性のある作家は他にもたくさんいます。

その中でもとくに埋もれてしまっていたのが女性の作家でした。

美術の大作家と呼ばれる人の名前を思い浮かべてみてください。ほとんど男性の作家しか出てこないという

ことはありませんか？　実際、**美術で認められた作家の多くは男性**でした。

美術の歴史から見ても、大変重要なことをしているのにもかかわらず、**女性であるというだけで認められない作家たちがたくさんいたのです。**そして、それはおかしいと考えたのが、今から紹介するジュディ・シカゴです。

シカゴは、男性しか活躍できず、男性しか歴史に名を残せない社会のあり方を変えようとしました。男女の格差や性差別をなくして、そこで起こる不利益をなくしていこうという動きのことを「フェミニズム」と言いますが、シカゴは自分の作品を「**フェミニズム・アート**」と言いました。

シカゴは、美術の歴史での女性の扱いを問いかける作品を作り始めます。

その代表的作品が巨大インスタレーションの《ディナー・パーティ》（1979年）です。

これは、三角形の神聖な雰囲気のテーブルの作品です。一辺が15メートルくらいある大きな作品で、そこには計39人分の席が用意されているのですが、それぞれの席に陶器の絵皿、金の陶器の聖杯、カトラリーがあり、そこに神話や歴史上で英雄となった女性の名前の刺《し》繍《しゅう》が施されたテーブルクロスが敷いてあります。床のタイルには女性解放に関わった人物の名前が999人分刻まれています。

女性が歴史に残ることができないなら、作品で残そうという意図で作られました。

今ではこの作品は、ブルックリン美術館で恒久設置されています。ですが、この作品を美術館に残すまでには、たくさんの苦労がありました。

シカゴのスゴイところ

作家たちは、美術を前へ前へと進めていきます。しかし、その過程には見落とされ続けてきた存在があることに気がついたのがシカゴです。彼女は歴史に埋もれてしまった女性にスポットライトを当てて、作品にその存在を残し、思い起こさせようとしました。

政治活動家の父のもとで育ち、教育者となるシカゴ

シカゴは1939年にアメリカのシカゴで生まれました。父親が政治活動家だったため、彼女はよく政治議論を聞いて育ったそうです。彼女は幼い頃から女性や労働者の権利を尊重すべきだとずっと考えて育ったそうです。作品に込められたコンセプトや考え方にも、父親の影響が大きく反映されています。

彼女は美術作家でしたが教育者でもあり、美術大学

で美術を勉強して、卒業後、1970年からはカリフォルニア州立大学で先生として働き始めます。ヨーゼフ・ボイスも教育者でしたが、彼女もそうでした。

彼女が教育者だったときに作った作品に、《ウーマン・ハウス》（1972年）という作品があります。これは21人の大学生と一緒に行った、空き家をまるまる作品に変えてしまうというプロジェクトでした。

この作品の中では、**女性の家庭での役割や、社会でこうあるべきだと思われている女性像を次々と可視化していきます。**

例えば、結婚や出産をモチーフにした部屋では壁から乳房がたくさん生えていて、それが朝食の目玉焼きに変わっている。戸棚に取り込まれて家庭の犠牲になっている女性のマネキンがあるなど、なかなかグロテスクな要素が多い作品です。

この作品は当時話題になり、お客さんも1万人ほど訪れたとされていますが、一方で美術批評家からは無

《ウーマン・ハウス》(1972)
たくさんの学生たちと作った家にまるまるインスタレーション！
たくさんの作家の共同制作は大変だった…
一部紹介
目玉焼きと乳房がかべから生えている
マネキンの女の人が家具と同化してる
結婚をモチーフにした作品
ヴィッキー・ホジェッツ、ロビン・ウェルチとスーザン・フレイジャー《愛育する台所》
サンドラ・オーグル《シーツ棚》
キャシー・フバーランド《花嫁の階段》
などなどインスタレーションの他、演劇もやっていた

視され、このことが後の《ディナー・パーティ》という作品の構想に影響を与えたと言われています。

女性の存在を作品の中に残す

《ウーマン・ハウス》の後、シカゴは《ディナー・パーティ》の制作に取りかかります。**それまで歴史では扱われなかった女性たちの名前を、作品の中に刻んで残そうと考えた**のです。

シカゴは、**それまで女性的な工芸仕事だと思われてきた陶器の絵付けや刺繍の技術を盛り込んだ作品を構想します。**刺繍を見るだけでも、その背後に女性の存在が感じられることを利用したのです。

けれどもこの作品の制作には、とてつもない時間がかかりました。彼女のアイデアに賛同したボランティアが400人ほどいて制作を手伝ったと言われていますが、それでも5年の年月がかかったそうです。シカゴ自

身もかなりの借金を抱えながら作品を作りました。

制作それ自体も大変ですが、最も時間がかかったのは、それまでの歴史で埋もれていた女性を調べ上げるリサーチ活動でした。**歴史から見落とされ、記録されない・忘れられてしまうというのは、存在自体をなかったことにされてしまうという、大変危険な可能性を秘めている**のです。彼女はこの危険性をなんとか世に訴えようとしたのです。

そうしてやっとのことで1979年に完成した《ディナー・パーティ》は展示されました。3カ月間展示して10万人以上の人が見ました。

しかし、評判は賛否両論でした。彼女の考えに賛同した人からは感激の手紙を受け取るくらい感動されたのですが、新聞や評論家からは「安っぽい」「低俗だ」などと言われました。

たしかにお皿には女性器をモチーフにした絵付模様があしらわれていたので、そのような表現が嫌いな人もいたのかもしれません。けれど、彼女の作品を批判する人の中には、男性中心の美術の歴史を変えようという考え自体を嫌がる人もいたのです。

自分の立場を脅かそうとする者に対して、人は過剰に反応し、防衛しようとして排除するのは今も昔も変わりません。

そういう人からは、誇張したフェミニズムのプロパガンダだとかさんざんなことを言われました。これには彼

女もかなりショックを受けたそうです。

フェミニズム・アートを美術館に所蔵させ、恒久設置へ

彼女は**《ディナー・パーティ》は今回の展示だけで終わってはいけない作品だ**と思っていました。美術館に恒久設置されて保存されなければいけない作品だと考えていたのです。

これは自分の名誉のためというより、残すべき1038人（席に39人、床のタイルに999人）の、作品に名前を刻まれた人のため、これからの女性の美術史のためという意識でした。

彼女は、展示が終わってからもこの大変大きな作品を自分で保管し続けます。

ちなみに、作品を自分で管理し、維持保存するのは

気温や湿度の調節、場所の確保など大変に労力とお金のかかる作業でもあります。

　次第に、彼女の考えや作品に賛同して、支援する人たちが現れ始めました。そして、この作品は絶対にいろんな人の目に触れさせるべきだと訴え、いろんな場所で作品を展示させるように働きかけます。

　その働きがあって、美術界でもようやく認められ、今ではブルックリン美術館に恒久設置されることになりました。

　美術作品を残すというのはとても大変なことです。作品は、後世に残そうとする人がいなくなれば捨てられてしまったり、ぼろぼろになっても放置されたりしてしまいます。今私たちが見ることができる作品も、誰かの努力があるおかげで残されているのですね！

道をよくみてあるく…

次はポップ・アートの道だよ！

〈第１章 コンセプチュアル・アート道〉の特徴

見た人に作品の意味を考えさせる作品が増え、美術は思想的に難解になっていきます。

感じるな、
考えろ！

マルセル・デュシャン

絵や彫刻など、美しいものを作り出すことが美術という風潮の中で、**彼は作らなかった**。既製品の小便器をただひっくり返して展示した。

描かない
無意識表現

ジャクソン・ポロック

具体的な対象を表現することは、写真でもできる。**無意識を描くのは、人間にしかできない**。体を振って、絵の具を撒き散らした。

作品を作るのは
作家だけじゃない！

アラン・カプロー

美術館以外でも、作家でなくても作品は作れると主張して、**美術館から街に飛び出した**。パフォーマンスや空間全体を使ったインスタレーションを始める。

想像（イマジン）させることこそ
美術

オノ・ヨーコ

ものを作らず、**作品を見た人の心に具体的なイメージを作り出そう**とした。ポスターや音楽を使って多くの人にアプローチしようとする。

人の創造力で
社会を作り変えよう

ヨーゼフ・ボイス

人の心だけでなく、社会そのものを美術で動かそうとした。教育や政治など、人の創造力が発揮されるものすべてに美術を持ち込んだ。

美術で歴史を
思い出そう

ジュディ・シカゴ

未来を作り変えるだけでなく、**美術で過去を思い出させようとした**。歴史から見落とされている「女性」を掘り起こした。

美術は目で見て感じるもの、美術作品は人が作るもの――美術界に当たり前のように共有されていた常識がありました。しかしそれは、機械文明の発達によって揺らいでいきます。作りの精巧さでは、人は機械に敵《かな》わなくなっていたのです。“人”がものを作る意味や、美術作品を作る意味を問われた作家たちは、目で見て鑑賞する作品作りから、頭で考えて鑑賞する作品作りを始めるようになるのです。

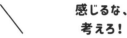

第2章

アートはみんなのもの！

ポップ・アート道

難しい美術を終わらせる！ わかりやすい「ミスター・ポップ・アート」

アンディ・ウォーホル

年代：1928～1987　　出身地：アメリカ

考える美術は教養や読み解きが必要になり、難解になっていました。それに対して、誰もが知る大衆文化や大量生産品を作品に取り込んだのがウォーホルです。**スーパーマーケットにある日用品やハリウッド女優を扱いました。**ハリウッド黄金時代とも重なる彼の作品は、セレブリティ文化やマスメディア、広告と融合した美術で**大衆受けも抜群**。人々から愛されました。

「キャンベルのスープ缶」シリーズ（1962～）
人気商品のキャンベル・スープをポップに描いてそれをシルクスクリーンで刷りまくり売りまくった！

「マリリン・モンロー」シリーズ（1962～）
大スターのマリリン・モンローが亡くなった報道を聞き、彼女の写真を刷りまくった作品。死を商品に扱う新しさを開拓した。

大量生産時代に、美術作品も大量生産

「誰にとってもわかりやすく、ポップな」美術道

美術に詳しくない人でも「ポップ・アート」という言葉を聞いたことがあるかもしれません。

「ポップ・アート」とは、まるで量産製品を作るのと同じように美術作品を作ることで、芸術と大衆文化の境目をなくそうとした美術のことです。

ここで言うポップとは、J・popやポップカルチャーと同じ「ポップ」。「大衆的な」という英語のpopularを略してpopという造語になりました。

これまでに見てきた通り、**美術にとって、わかりやすく・大衆的であり・コピー可能な作品というのは真っ向から嫌われるものでした。**

ポップという言葉も美術界では、「これはわかりやすいし大衆ウケを狙った（低俗な）作品だね〜」というノリで、むしろ悪口に近い形で使われ始めました。アン

ディ・ウォーホルが美術を始めた時代のアメリカはまさに、第1章で紹介したポロックが大人気の時代。

美術批評家のクレメント・グリーンバーグも「まだ誰も見たことがない絵を描くポロックたちこそが最強！」と、ポロックをプッシュしまくっていました。

ただ、お気づきのように**美術道はひねくれ者の蛇の道です。**

「唯一無二！　他の誰にも作れない新し

抽象表現主義の作家はみる人のことをおきざりにしてる！
だからボクらは親しみやすい日用品を作品に使う！
アラン・カプロー
ロバート・ラウシェンバーグ
たしかに！
いいアイデア！
のちに
ぼくらもありふれた親しみやすいモチーフをつかお〜っと！
廃品や商品、国旗などみんな知ってるモチーフを使った作家ら。
ポップ・アートの作家たち。

さ！」を突き進むポロックやグリーンバーグらを見て、
「こんな堅苦しい時代は俺たちで終わらせてやる！」
と息巻いた作家が現れ始めたのです。

例えば、ロバート・ラウシェンバーグという作家は、誰でも見たことがあるコカ・コーラの瓶をそのまま作品にしました。既製品の瓶をそのまま使うのはデュシャンのレディ・メイドのようですね。

また、ジャスパー・ジョーンズという作家は、誰でも知っているアメリカの国旗を絵に描きました。

ロバート・ラウシェンバーグ
《コカ・コーラ・プラン》(1958)
コカ・コーラのビンや日用品を組み合わせた立体！
PLAN
ザ・反骨精神！

デュシャンの小便器のように、それまでは全く美術とは思われていなかったものを美術の世界に持ち込んで、

美術道に風穴を開けようとしたのです。

そして、このような**「打倒ポロック！」の流れを引き継いで出てきたのが、当時人気イラストレーターだったウォーホルでした。**

人気イラストレーターだった彼は、とにかく**大衆が何を求めており、どうしたらバズるのかを熟知していた**ので、彼の作る作品はとても広い支持を得ました。

もともとは反骨から始まったポップ・アートを、美術のメインストリームに一気に押し上げたのがウォーホルだったのです。

ウォーホルのスゴイところ

大量生産・大量消費の時代。スーパーマーケットに行けばズラッと並ぶキャンベル缶を作品のモチーフにして、しかもシルク印刷で作品の大量生産も可能にしま

した。大量生産・大量消費と美術を結び付けることで、それまで一点もの・新奇性がスタンダードだった美術道に風穴を開けたのです。難解化していた当時の美術界にわかりやすさを持ち込み、あっという間に大衆からの支持を得ていきます。

人気イラストレーターから売れっ子美術作家へ

ウォーホルは元来からスターの売れっ子気質でした。病弱で内気な少年時代を過ごしましたが、なぜかどこに行っても放っておけないタイプと思われるらしく、何もしなくても女性からモテていたそう。今でもいますよね、そういうタイプの人。

そして彼はそれを自覚的にやっていたそうです。彼は美術家になる前はイラストレーターとして有名になり、その前にはデザイナーをしていました。

ウォーホルがデザイナーとして仕事をしていた頃に

は、売り込みのときにわざとボロボロの服を着ていって、頑張っている素朴な若者感を出して仕事をとっていたそうです。

自己プロデュースのうまい人だったんですね。

彼がデザイナーとして有名になったのは、彼の「ブロッテド・ライン」という手法が世の中に受け入れられたからです。これは、わざとインクをたくさんつけて描いたイラストの線画を別の紙に押し当てて線画をにじませ、そこに色をつけるという手法です。

これがなかなかかわいい。

ウォーホルは、どこかかわいくて大衆受けする作品作りの天才でした。このように商才のあったウォーホルは

ブロテッド・ライン
紙①の上に
紙②をかぶせ
インクを
すわせる。
ペリペリ
まだインクが
乾いていない
紙①
②
①
インクの
にじみが
かわいいの！

一躍、デザイナーとして有名になり、お金持ちになります。そして30代になってからは美術の世界で一旗あげようとします。

美術作品すら大量生産！キャンベル缶革命

ウォーホルは自分にとってより身近なものを作品にしようとしました。これを読んでいる皆さんも学校の美術の時間などで、「自分の好きなものを描きましょう」と言われたことはないでしょうか。

そういうときに選ぶモチーフはきれいな風景だったり、親友を描いたりすることが多いものですが、**ウォーホルは毎日食べていたキャンベルのスープ缶を描きました。**キャンベルは、日本でもスーパーマーケットで普通に売っていますよね。このチョイスのセンスがウォーホルらしいところだと思います。

デュシャンは小便器をモチーフに選びましたが、ウォーホルはキャンベル缶を選んだのです。**どんどん「考えろ！」となって解読が難しくなっていた美術に反発して、ひと目見ただけで誰でもわかる大衆的なモチーフを見つけていきます。**

「背後にある意味を見よ！」VS「意味なんてない、表面にあるものがすべて」の構図ですね。

そしてこのときウォーホルは、キャンベル缶をただキャンバスに手で描くということをしませんでした。先述したように、コカ・コーラやアメリカ国旗など、身近なものを描いている作家はすでにいたからです。

そこで彼は**キャンバスに手で描かず、シルクスクリーンの印刷で作品を作りました。**こうすることで作品を何枚でも作れるようになったのです。

当時のアメリカはとにかく豊かで、スーパーマーケットに行けばものが溢《あふ》れていました。

大量生産・大量消費の時代だったのですが、彼は**美術作品も大量生産できるようにしたのです**。そして、誰もが見たことのあるキャンベル缶をプリントした作品は爆発的に売れました。

マルセル・デュシャンの男性用小便器をモチーフにした《泉》は、「こんなの美術じゃない」と言う人が殺到しましたが、ウォーホルの作品はどんどん大衆に受け入れられていきました。

これがアートだとすればわかりやすいし、おしゃれだから自分も家に飾りたい！　と思われたのです。

好きなキャンベル缶の絵をたくさん刷った！
新しいでしょ！
いくらでもつくれる作品…
ONION SOUP
CREAM OF MUSHROOM SOUP
CHICKEN NOODLE SOUP
TOMATO SOUP
BEEF SOUP
GREEN PEA SOUP
PEPPER POT SOUP
VEGETABLE SOUP
BLACK BEAN SOUP

このように思われた要因の1つとして、当時のウォーホルは芸能界のスターや有名人と交流を持っていて人気者だったこともあるでしょう。しかも寡黙でミステリアスなスターであるウォーホルのキャラクターも相まって作品の価格はどんどん上がっていき、お金持ちはこぞって彼の作品を欲しがりました。

現在にたとえたら、大スターの米津《よねづ》玄師《げんし》がゴリゴリに現代アートを売っている状態でしょうか。そりゃみんな欲しがります。

大量消費される「モンローの死」を作品に

ウォーホルはキャンベル缶の後も作品を大量生産していきます。マリリン・モンローが死んだときは彼女をプリントした作品を作りました。

彼女の死は新聞や雑誌に大量に印刷されて世界中

にばらまかれました。

ウォーホルは、**死すらも複製されて拡散される時代を面白がり、作品化したのです。**

ウォーホルの死をテーマにした作品
飛びおりの瞬間が…！
《自殺（シルバーの飛び降りる男）》
（1963）
もはや遺影！
「マリリン・モンロー」
シリーズ（1962）
死刑に使う電気椅子
《電気椅子》
（1964）
ぶっそうだ…

ほかにも死刑のときに使われた電気椅子や、新聞に載った車の死亡事故の写真、飛び降り自殺の瞬間の写真なども印刷していきました。

作品を大量生産するための「作品工場」を作る

彼の作品は、作れば作るほど大量に売れるようになっていきます。次第に彼は作品をどんどん作るために、自分はアイデアと品質管理に専念して、作品はアシスタントが作れるような体制を整えていきます。**美術作品すら、本当の工業製品のように大量生産できる仕組みを作ったのです。**

これを聞いて、美術作品というのは自分の手で作るものじゃないのかよ！　と怒りたくなる人もいるかもしれません。けれど彼は**美術というものは作家１人で作った１点ものという常識を、美術の工業化で否定**

したのです。

デュシャンは、「作家は作品を作らなくてもいい、選べばいい」と言いながら小便器を出しました。ウォーホルの場合はより儲けるために動いていたら、自然にそれまでの美術の常識を破壊していました。

ウォーホルのアトリエでは工場のように大勢の人が働いていたので「ファクトリー」と呼ばれました。とくに最初に作ったファクトリーは有名で、全面がウォーホルの好きな銀色で覆われていたので、「シルバーファクトリー」と呼ばれました。そこには毎夜毎夜たくさんの芸能人や、有名になりたい若者が集まって乱痴気騒ぎのパーティが繰り広げられていたそうです。

ですが**ある日、ファクトリーでウォーホルは銃撃されます**。

一命はとりとめますが、それから二度とファクトリーが開くことはありませんでした。

軽薄に見える作品も、ウォーホルの祈り

彼のアトリエである「ファクトリー」が銃撃された後、アトリエを開放することはありませんでしたが、ウォーホルは作家としての活動を続けます。

彼は『インタビュー』という雑誌を作る費用を用意するために有名人の肖像画の受注生産を始めるのですが、これがまた大人気になりました。

かつて写真がなかった時代には宮廷画家という人たちがいて、職人仕事として肖像画を描いていました。ウォーホルはそれと同じことを当時のニューヨークで始めたのです。お金持ちにとってウォーホルに肖像画を描いてもらうことはステータスでした。

また、ウォーホルは実は熱心なカトリック信者で、宗教を扱った作品もたくさん作りました。

病気を患い、自分があまり長くないことを悟った時

期のウォーホルの作品には、イエス・キリストがポップ・アートでたくさん印刷されています。**軽薄に見える作品は死に対する彼なりのお祈りなのでした。**

ウォーホルはそれまでの現代美術のイメージをガラッと変えました。今では、ウォーホルのようにシルクスクリーンで人気のキャラクターや大衆文化を象徴するアイコンを印刷した作品を作る人はたくさんいます。

デュシャンから美術は考えるものになりましたが、ウォーホルが始めたわかりやすいポップ・アートも、美術をガラッと変えました。

くじけず、何度でも立ち上がる！
「反骨精神を持つ水玉の女王」

草間《くさま》彌生《やよい》

年代：1929～　　出身地：日本

同じ文様やモチーフを繰り返し反復させる作品を作ったのが草間です。草間は生命のエネルギーを感じさせるような激しさでモチーフを増殖させ、見る人に迫る作品を作りました。とくにベトナム戦争の影が濃い60年代は尖《とが》った作品作りをして、自由を求めた若者に支持されます。草間はそのような、**時代に抑圧された人の代弁者**でした。

《集合 1000艘のボート・ショー》(1963)
男性器をモチーフにした布で作られたソフト・スカルプチャーの船と、壁に貼られた無数の写真のパターンででき上がる作品。ウォーホルもこの作品に影響を受けて同じパターンのコピー作品を作り始める。

《ベトナム反戦のオージー・ハプニング》(1968)
ニューヨーク証券取引所の前で、裸のダンサーを指示して踊らせた。それもゲリラで！
これが反戦アートの象徴になっていく！

次は水玉の女王と言われた、ポップ・アーティストである草間彌生です!
ツカツカツカ
この人は知ってる!キーホルダーかわいいから持ってる!
こっちに近づいてくる
ドン
アンディ・ウォーホル入るな!
あなたはこっちに来ないで!
えっ?2人仲悪いの?
2人は確執があるね…
ウォーホルは同じものをパターンで刷ったけど草間のほうが先にやってたと言われている
あっホントだ!
《集合 1000艘のボート・ショー》(1963)
かべに自分の彫刻の写真をびっしり貼った。
マネしたでしょ!?
《牛の壁紙》(1966)
かべ中に牛のプリントを貼る。
ポップアートの巨匠クレス・オルデンバーグの出世作のアイデア元も草間と言われている
《アキュミレーションNo.1》(1962年の6月)
裁縫で作ったやわらかい彫刻。
うねうねがたくさんついたイス!
新概念!ソフトスカルプチャー
あっホントだ
ちょっと!
……
クレス・オルデンバーグの裁縫の彫刻。大きいハンバーガー!
《フロア・バーガー》(1962年の9月)
オルデンバーグ
ゲリラ!
苦労続きだったけど今や有名なんだね
若いときは裸のダンサーに水玉を塗って、街で反戦パフォーマンスをした!もちろんゲリラ
ペタペタ
裸!
なんだあれ
全然ポップじゃない
ニューヨークで新たな美術の道を切り開いた日本人として有名です!
今でも作品がキーホルダーになってるくらい有名!
ズシッ
急にこのキーホルダーに重みを感じる…

コピー! 反復! 増殖!

「反復、増殖し続ける」美術道

次にご紹介するのは、画面一面を、ときには空間全体を覆い尽くすような水玉や網目模様の作品で知られている草間彌生です。

日本の作家で草間ほど世界中に認められている人もいません。けれど彼女ほど、認められるのに時間がかかった人もいないかもしれません。

草間は小さい頃から幻覚や幻聴に悩まされていました。草間が10歳のときに母親を描いた絵にはびっしりと水玉が描かれており、その頃から水玉の幻覚が見えていたのだとわかります。

そして**草間はそういった幻覚や幻聴の恐怖や強迫観念などを打ち破るために、自分が見えている世界を表現した絵を描き始めました。**

また、この頃はまだ戦争の影も濃かった時代。絵を描き続けることも、世界で認められることも、女性のアジア人として活躍することも大変難しかった時代でした。

そのため草間は、評価を得るために長い道のりを歩むこととなります。

草間の絵の特徴は、画面いっぱいに埋め尽くされる網目模様や水玉模様です。

ポロックらも用いた「オール・オーバー」という、見た人の視界が絵でいっぱいになり、絵に入り込んでしまうかと思うほど大きな画面全体を使う手法を用いました。

《無限の彼方へかぼちゃは愛を叫んでゆく》
(2017)
こんなにポップでキラキラなのに…
水玉にはシリアスなスタートがありました
《母の肖像》
(1939)
で
10歳のころ描いた絵。
もう水玉を描いてた。

ときには作品の周りに張り巡らせた鏡の反射も使って水玉などの文様を増殖させました。

作品の前に立つと、かわいらしくも不気味でもあるピュアな模様で無限にも永遠にも覆い尽くされる世界を感じることができます。おびただしい数の文様を目の前にすると、**自分の存在もその文様に埋め尽くされて、溶けていくような感覚も生まれます。**

草間のスゴイところ

幼い頃から見える幻覚や幻聴との戦い、そして第二次世界大戦の影もある中で世界を舞台に美術を続ける創作への苦悩と欲求を、不条理な人生への反骨精神として作品に表現しました。1つのパターンを繰り返す、コピー・反復・増殖で見る人を作品の世界の中に入り込ませてしまうほどの、独自の世界を立ち上げたことが草間の特長です。

精神的な病に苦しみながら絵を描き続けた草間の生い立ち

草間は1929年に長野県の松本市に生まれます。旧家の育ちでした。草間は小さい頃から幻覚や幻聴に悩まされていました。**草間はそういった妄想や強迫観念を打ち破るために絵を描き始めます。**

現在では水玉模様は草間のトレードマークになっているほど浸透していますし、彼女の水玉模様のグッズもたくさん売られていますが、その裏にはシリアスな出発点があったのです。

草間の母は、彼女があまりにも絵に没頭することを不安がり、彼女が絵の道へ進みたいと言ったときは猛烈に反対しました。**それでも草間は絵を勉強するために親元を離れて2年間、京都の美術学校に通って絵を描き続けます。**

けれど、狭い日本での活動では満足しなかった草間はアメリカに渡って作家活動をすることを夢に見ます。しかし、**草間がアメリカに行きたいと思っても、当時は海外旅行すら普通の人はできない時代ですから大変です**。この時代に作家活動をするために単身で渡米するのはあまりにもハードルが高かったのです。

そこで草間は憧れの画家であった、アメリカのジョージア・オキーフの住所を大使館で調べて手に入れ、自分の絵や手紙を送り始めます。

見知らぬ日本人からの手紙にもかかわらず、オキーフは草間に返事を出し、親切に励まし続けました。

草間のあこがれ作家
ジョージア・オキーフ
日本から手紙が…
クサマ？
《Red Canna》
(1923)
抽象的な花や風景画で
アメリカを代表した作家

草間はオキーフの手助けでアメリカに行こうとしますが、なかなかうまくいきません。

それでも草間はアメリカに行きたい一心で、ロバート・キャラハンという画家にも手紙を出しました。彼と仲良くなることで画廊で行われる彼の個展のオープニングパーティの招待状を正式に受け取ります。

日本人を代表してそこに行くという建前で外務省から渡航をやっと許可されたとき、彼女は28歳になっており、アメリカに行きたいと決心してから8年も経っていました。

芽が出るまで 苦悩のニューヨーク時代

キャラハンが紹介してくれたおかげで、渡米後すぐにシアトルの画廊で草間の個展が決まりました。

その後シアトルからニューヨークへ行き、彼女は一躍有名になります。このときの作風が、巨大な画面をすべて網目の線で覆うという「ネット・ペインティング」と呼ばれるものでした。水玉模様の作品のように、**ある形を反復させることで画面中を覆い隠す手法でした。**

この頃は先にご紹介したポロックのように、見た人の視界が絵でいっぱいになり、見たら絵に入り込んでしまうと思うほど大きな画面全体を使う「**オール・オーバー**」という技法が流行していました。そして、緻密に細かく描き込まれた草間の作品は、それまでの荒々しいオール・オーバーの絵画とは違った繊細さと上品さを持っていると大評判となったのです。

彼女はその後もどうにか作品を作るための出資者となるパトロンを見つけて、今度は**水玉を全面に使ったインスタレーションを作ります**。

そんなインスタレーション作品の集大成がニューヨークで発表した《集合 1000艘のボート・ショー》(1963年)です。布で作った男根を模した彫刻を大量にボートに貼り付けて、さらに壁にもその彫刻の写真のコピーを大量に貼り付けました。無数のボートで辺り一面覆い尽くされる、かなり迫力のある展示でした。この作品以外にもニューヨークでの草間の作品は

毎回毎回、鬼気迫るほどの熱量と完成度を誇るものでした。

この《集合 1000艘のボート・ショー》は今や彼女の代表作の1つです。とくに**糸や布の裁縫などの柔らかい素材で彫刻を作る手法は「ソフト・スカルプチャー」と呼ばれて、それまでの彫刻にあった、「硬いもの」というようなイメージを覆していきます**。

しかし、この《集合 1000艘のボート・ショー》の発表直後、クレス・オルデンバーグという作家がそれまでの作品から一転して裁縫で彫刻を作って個展で発

表したところ大ヒット。この展示はオルデンバーグの代表作になり、今では「ソフト・スカルプチャー」を作ったのはオルデンバーグであると思われているくらいです。

また、同時期にアンディ・ウォーホルも草間の展示を見ていました。そしてその直後に、草間が写真のパターンを壁にたくさん貼ったように、シルクスクリーンで同じパターンを作って壁紙として貼る作品を作っています。

作家同士で影響を受けて似た作品ができ上がることはあるのですが、

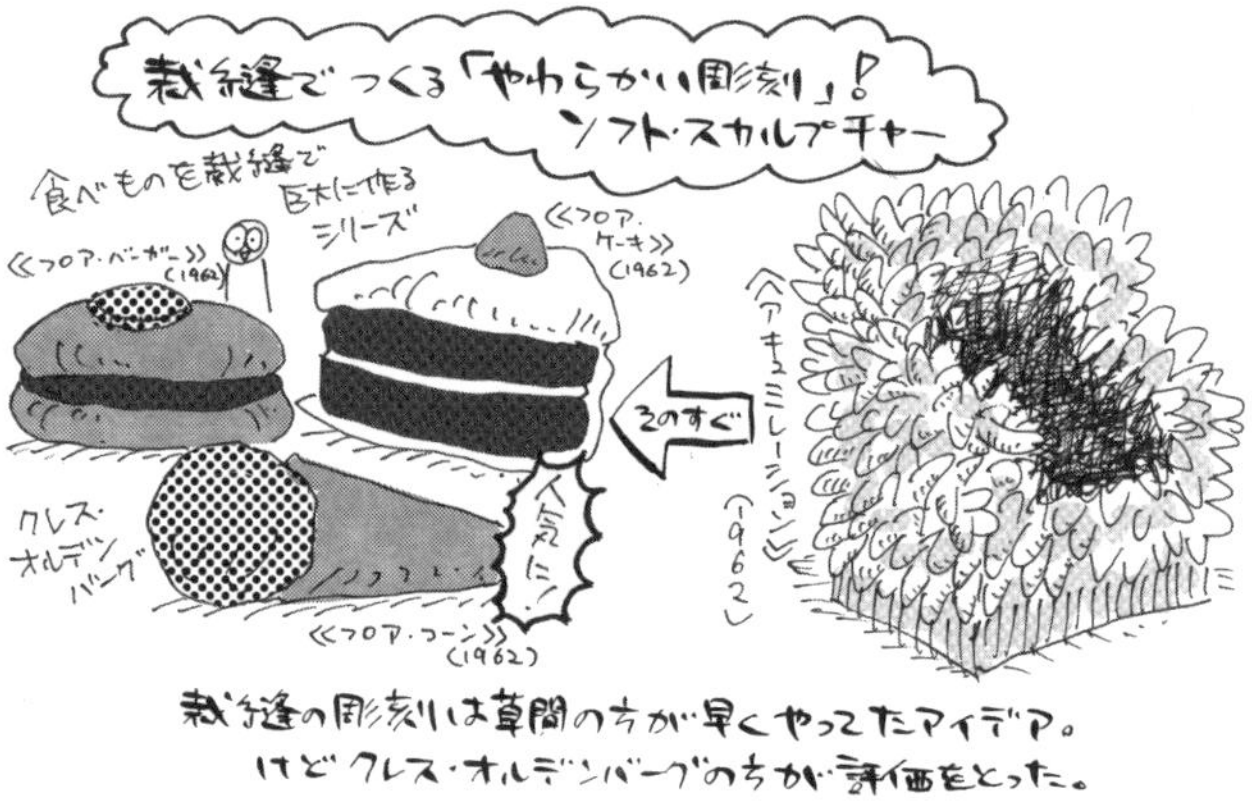
裁縫でつくる「やわらかい彫刻」！
ソフト・スカルプチャー
食べものを裁縫で巨大に作るシリーズ
《フロア・バーガー》(1962)
《フロア・ケーキ》(1962)
《アキュミレーション》(1962)
2のすぐ
人気に！
クレス・オルデンバーグ
《フロア・コーン》(1962)
裁縫の彫刻は草間の方が早くやってたアイデア。
けどクレス・オルデンバーグの方が評価をとった。

当時は美術界でより力を持っていたウォーホルやオルデンバーグの作品のほうが評価されました。

草間はこれに病んで、誰にも見られないようにアトリエの窓を閉めて作品を作るようになり、自殺未遂も繰り返すようになりました。

絶望しても作品を作り続ける草間と増殖し続ける水玉

絶望しても何度も立ち上がって作品を作り続けるのが、草間でした。草間は作品を作り続けます。

１９６６年の第33回ヴェネツィア・ビエンナーレには草間は選ばれていませんが、草間はそのヴェネツィア・ビエンナーレの会場の外で《ナルシスの庭》（１９６６年）というインスタレーション作品をゲリラ的に勝手に作り、展示に参加します。ミラーボールを大量に発注して作り、それを１つ2ドルというありえないほどに安い値段で売りました。

これは当時の、作品を商品のように扱う美術界への皮肉でした。大量生産を象徴するポップ・アートは消費社会を象徴しているとはいえ、作品自体はものすごく高かったのです。ですからこれは、**「作品で消費社会を象徴したいのなら、誰でも消費できる値段で売ってみろ！」**という彼女なりのメッセージが込められた作品でした。しかし、無許可だったので主催者に迷惑がられて撤去させられました。

ヴェネツィア・ビエンナーレの会場の庭にゲリラで展示！
ゲリラでやる規模じゃないっ!!

草間は今では日本中の数々の場所に作品があり、日本の現代美術の象徴のように君臨しています。尖っ

た活動をしていたのに、美術を知らない人にも作品が愛されている作家なのです。

エネルギッシュな人だったね
水玉まみれになっちゃった…

最新テクノロジーを美術に融合させた「ビデオ・アート」の祖

ナム・ジュン・パイク

年代：1932～2006　出身地：韓国

新しい美術を切り拓くために四苦八苦する美術道の中で、**画材ではなくビデオなどの電子機器を使った美術を考案したのがパイクです。**パイクは当時最先端の技術を用いて画面のモニターに電子信号を歪《ゆが》ませて映したり、衛星機器やインターネットを用いたりしました。「新しい美術は、新しい技術が作る」というように、**新技術を美術に取り入れることの重要性を示します。**

《リ・タイ・ポ》(1987)
テレビモニターをロボットのように積んだ作品。
パイクのアイコン的作品。

《多いほどよい》(1988)
ソウルオリンピックを記念して作られた巨大な作品。1003台のテレビモニターで作られた高さ18メートルの塔。

新時代は新技術から生まれる!

「最新技術」de 美術道！

今では美術館やギャラリーに行くと映像作品が当たり前のように展示されています。

ビデオを使用した作品を「**ビデオ・アート**」と呼びますが、誰でも手軽にビデオカメラを手にすることができ、iPhoneできれいな動画撮影から編集までなんでもできるので、映像作品を作るハードルはものすごく下がってきていますね。さらに今ではVR（仮想現実）やAR（拡張現実）などの技術の進歩により、ビデオにとどまらない手法がたくさんあります。

これらの技術を活用したアートを現代では「**メディア・アート**」と呼びます。**パイクはこうした最先端の技術を活用して美術道を広げた先駆者的作家です。**

パイクは、技術×アートの道を切り拓きました。

パイクが生きた時代は、ビデオカメラ、テレビ、衛星放送のほか、晩年の90年代後期以降はインターネットなど、新しい技術が次々と生まれた時代でした。パイクはそんな当時の最先端技術をいち早く美術に取り入れて新しい作品を作ったのです。

それまでの作家はキャンバスに絵の具で絵を描いていた人が多かったのですが、**彼はモニターをキャンバスにして、電子信号という絵の具で新しい美術の世界を作り出しました。**

パイクが美術を始めた1960年代は工業化が進み、世の中がどんどん機械化していった時代。

美術に限らず、手作業が主だった分野にもいきなり機械が入り込んできたのですから、当時の人々はこの激変ぶりに驚いたのではないでしょうか。

パイクは、そのような、**突如現れた異質なもの同士を組み合わせる作品を作った作家**でした。

例えば、《TVガーデン》（1974年）では、熱帯植物の木々の緑の間に、いくつものテレビモニターを木の実のようにつける作品を作りました。

自然と機械という異質なものを融合させた作品で、とても不思議な存在感を放っています。

《TVガーデン》（1974）

パイクのスゴイところ

60年代以降はビデオカメラ、テレビ、衛星放送。90年代後期以降はインターネットなど、新しい技術が次々と生まれた時代に活躍したパイクは、新しい技術を取り入れたときに生まれる違和感や異質感を作品で表現。新しい技術を美術に取り入れる重要性を示しました。

禅の影響を受けたパイクの生い立ち

ナム・ジュン・パイクは、1932年に韓国に生まれました。パイクの実家は絹織物の生産で成功した有名な旧家でした。お父さんは当時、国内に2台しかないキャデラックを持っていたという話もあります。

1950年、朝鮮戦争が起こったときにパイクは国外に出て、その後日本に移住して東京大学に入ります。東京大学で美術史を勉強した後は、1956年にドイツに渡って音楽の勉強を始めました。

1960年代、当時海外では鈴木大拙《だいせつ》という哲学者が英語で禅の思想について広めたので、「禅」が大ブームでした。**パイクも禅の思想に影響を受け、この後の作品にも「禅」が多く出てきます。**

このときの代表作は《禅・フォー・ヘッド》（1962年）という、頭に墨を付けてそれで紙に1本の線を描いたパフォーマンスでした。

パフォーマンスもしてた！
《禅・フォー・ヘッド》(1962)
ズリズリズリ
筆でなく、頭や
腕・ネクタイに
墨をつけて全身で
一本の線を描くパフォーマンス！

世の中はどんどん機械化して発展していきましたが、それによって人間味が薄れていくような感覚を持った人たちが、カウンターカルチャーとして**自分の精神を瞑想《めいそう》などで深く見つめ直す「禅」に食いついたのです。**

世界初のビデオ・アート誕生！

当時彼が住んでいたドイツのケルン地方で家のトイレが詰まったとき、パイクの頭を、「**これからは物理的な絵や彫刻ではなく、電子や情報の時代になる**」という考えがよぎったそうです。トイレが詰まって物理的にどうにかしないといけないときに思いつくのがすごいですね。

パイクはラジオ放送局に勤めていたこともあって、電子工学にはもとから強かったのでした。

そして1963年3月に初めてのビデオ・アートの個展「音楽の展覧会 エレクトロニック・テレビジョン」を開催します。テレビを13台使った（それぞれも作品）インスタレーションの古典でした。

インスタレーションの構成要素として、例えば壊れて1本の線しか映らなくなったテレビを90度回転させて禅のミニマルな世界を表現した《禅・フォー・TV》（1963年）があります。

アラン・カプローの項でご紹介しましたジョン・ケージという現代音楽家は、パイクにも影響を与えました。彼はピアノの弦に異物を挟んで鍵盤を弾いて、本来ピアノから出ない音を出す「プリペアド・ピアノ」という奏法を発明しましたが、パイクはこのケージを大変リスペクトしており、テレビに細工してドイツの公共放送を歪めて受信する《プリペアド・テレビ》（1963年）を作りました。これも先ほどの個展に出展されました。

パイクは新しい技術が暮らしとぶつかるときの異質感に注目した作品を作りました。

その後パイクは、大量のテレビモニターを使ったインスタレーション作品や、テレビモニターを使ったロボットのような彫刻を作り、ビデオ・アートの第一人者として認識されていきます。使っているテレビモニターの数がすさまじく多いことも特徴です。

衛星放送で《グッドモーニング・ミスター・オーウェル》！

最新技術を扱うパイクが作った代表作の1つが、《グッドモーニング・ミスター・オーウェル》（1984年）でした。衛星放送を使ってニューヨークとパリをつなぎ、パフォーマンスを世界同時配信しました。距離の離れた作家同士が最新技術でつながったのです。第1

章でご紹介したヨーゼフ・ボイスもパフォーマンスで参加しました。**今ではインターネットを使えば気軽に世界中に作品を発信することができますが、当時はとても画期的でした。**世界中で2500万人の人が見たそうです。

カプローの項で見たように、この頃、美術館やギャラリーではなく、日常に近い場所でパフォーマンスをして、日常と美術の垣根をなくそうとする動きが活発化していますが、**このパイクの作品は明らかにその垣根を越えています。**

この《グッドモーニング・ミスター・オーウェル》という作品のタイトルは、1949年に発売されたジョージ・オーウェルというイギリスの小説家が書いた『1984』という小説から来ています。この小説では、独裁国家が国民を常に「テレスクリーン」という双方向から映像を受信できるテレビで監視している

という1984年の世界が描かれています。最新技術によって人間らしさを奪われる暗黒の未来を描いたディストピア小説の傑作と言われています。

ジョージ・オーウェルは通信技術による監視社会を予想したのに対して、パイクは1984年に通信技術によって新しく生まれる自由なコミュニケーションの可能性を示したのでした。彼は最新技術をただ使うのではなくて、その可能性を美術作品で切り拓こうとしたのです。

未来は明るいかもよ、グッドモーニング・ミスター・オーウェル！

パイクが後世にもたらした影響

パイクが切り拓いた、最新技術を美術に持ち込んだ美術道は、技術の発展とともに進化して、今では「**メディア・アート」という形で受け継がれています。**

最近だとＶＲやＡＩを美術作品に使う人がいますね。メディア・アートも、現代では誰でも作りやすいものになりました。けれど、**新しい技術を取り入れれば即、新しい美術になるかというと、話はそう単純ではありません。**

パイクは新しい技術を使いながらも、新しい技術がもたらす違和感や異質感に注目するという画期的なアイデアを持っていたので、歴史に残りました。

個人の美術作家が作るメディア・アートよりも、ディズニーランドなどの最新アトラクションのほうがよっぽどすごい技術とお金が使われている時代です。

これからのメディア・アートで美術道を切り拓くためには、アイデアが一番大事なのかもしれません。

社会の抑圧を表現した「ストリート・アーティスト」

ジャン＝ミシェル・バスキア

年代：1960〜1988　　出身地：アメリカ

崇高・難解化が進む美術は、教養ある一部の人たちのものになっていました。そこに、そんな窮屈な美術を無視する若者たちが現れます！「**好きな絵を好きなように描く」ストリートの文化をベースに新しい風を巻き起こした代表格がバスキアでした**。彼らの絵には黒人・貧困・スラムといった社会の最下層のリアリティがあり、ロックでかっこよくセクシー。瞬く間に大人気になっていきます。

《無題》（1982）
黒い骸骨が荒々しく描かれた作品。日本の実業家、前澤友作が123億円で購入し、話題になった。

《ハリウッド・アフリカン》（1983）
ハリウッド映画での黒人描写に異議を唱えた作品。バスキアの絵の中にはたくさんの文字が出てくる。

かっこいいアートは、自由なアート

「好きなものを描く自由精神」美術道

2017年、株式会社ZOZOの元社長、前澤友作氏がバスキアの《無題》（1982年）という作品をオークションで約123億円という超高額で競《せ》り落としたのが話題になりました。そのためもあって、日本で名の知られた現代美術作家として上位に食い込むであろう作家がこのジャン＝ミシェル・バスキアという画家です。

前述したパイクが最新テクノロジーを使って新しい美術道を切り拓いていた頃、アメリカの若い作家たちは行き詰まっていました。**ポロックたちが主張する、「美術にとって何よりも大事なのが『新しさ』だ」という重いルールの呪いに苦しんでいた**のです。

より新しいものを作ろうにも、すでに先人たちによってやり尽くされている。アイデアが尽きていると苦しん

だのです。

そんな重苦しいルールに嫌気がさしたのか、「新しいものを作れなんてルール、知ったことか！」と**好きな絵をただ好きなように描き出す**若者たちが続々と現れます。その1人がバスキアです。

好きなものを好きなように描くなんて、美術の基本のように思いますよね。

日本の学校教育でも、「好きなものを描きなさい」と言われることが多いと思います。

けれど、**美術道で本当に名を刻むのは、「美術道に影響を与えるなどして美術道に貢献した人」なのです**。誰かがすでに作った道をなぞるだけでは、本人にとっての学びはあるかもしれないですが美術道の財産としてはあまり評価されなかったりします。

また、美術の財産と全く関係ないところでゴーイングマイウェイに好きな絵ばかりを描いていても、それは

趣味として見られて、美術界からは放置されるのが常でした。

しかし、バスキアらは違いました。**それまでの美術界にあった「新しいものを作るのが美術」というルールを彼らが全面無視しても、美術界が彼らを無視できないほど大きな人気を生んだから**です。

彼らの絵がこれほどにも世間に受け入れられたのは、わかりやすくかっこいいことに加えて、ストリート・アート、グラフィティ・アートといった、**黒人・貧困・スラムなど、社会の最下層にあるリアリティが表現された作品だったことが大きな要因でもあるでしょう。**彼らの絵は、抑圧された感情を解放してくれる、ロックでセクシーな作品だったのです。

「かっこいい」は時代を作ります。バスキアを含めた若い作家のそういった絵は、1980年前後から**「ニュー・ペインティング（新しい絵）」と呼ばれて、1つの運動として扱われました。とくにバスキアはロックスターのように有名になりました。**

さらに彼は大変なスター性を持っていました。**どの時代も、観客というのはかっこいいスターには波瀾《はらん》万丈のストーリーを求めたがるもの。**そして、その観客が求める要素をすべて持っていたのがバスキアだったのです。そうして、重いルールに苦しんでいた美術道に風穴が開きました。

バスキアのスゴイところ

難解な絵ばかりが評価されていた当時の美術道で、バスキアはわかりやすく見て楽しめる美術で「自由でかっこいい」旋風を巻き起こし、閉塞感を打ち破りました。黒人・貧困・スラムなど、当時のアメリカ社会にあるリアリティを表現したことも高く評価されました。以後、ストリート・アートは、美術的評価を与えられることになります。

「第2のピカソ」と呼ばれるバスキアの生い立ち

彼のスター性はどのようなところにあったのでしょう。彼は黒人の家庭の生まれでした。正確にはプエルトリコとハイチからの移民であった父親と母親の子として生まれます。高校を中退してからはホームレスとしてスラムで壁や建物に塗料スプレーを使ったグラフィティ（直訳すると、「落書き」という意味のイタリア語）を描いたり、自分が描いたポストカードを道ばたで売ったりしていました。

ルール無用のストリートアート！
プシュー
THE WHOLE
BAW LIKE
THE BIGMON
CRUSHER IN
犯罪だ…
SAMOというグループを友達と組んで詩を街のカベに描いたりしてた。

ホームレスをしていたのは家庭が貧しかったからではなく、自分で選んでのことでした。彼は中流家庭に育ちます。父親が暴力を振るう人であったため、両親は離婚。離婚後、彼は父親に引き取られてしまいます。

バスキアの母親は美術が好きで、離婚前は彼にたくさんの作品を見せました。とくに**母親に連れていってもらった美術館でピカソの《ゲルニカ》を見て、彼は作家を目指すようになります。**彼の絵の素養は母親が育てたのです。

そんな彼の才能は、「感覚的に描かれているけれど、センスがあり人を惹《ひ》きつける力がある」と評価されていきます。

彼の絵には**スラム街のあちこちに描かれるグラフィティのように、絵の中に脈絡のない文字が躍っていて、新しく、魅力的でした。**

彼を評価した批評家のルネ・リカードは、「**彼の絵**

には、社会の最下層に押し込まれている人間のリアリティがある」と評価しました。

ポロックの項でピカソの絵（例えば代表作《ゲルニカ》）は、人間の意識の奥にある暴力性や怒りといった感情を表現していることで評価を受けたことを紹介しました。バスキアの作品も、**黒人・貧困・スラムといった、社会の最下層にある人間の感情を表現したと言われて評価されたの**です。彼の作品には、黒↕白、富↕貧困、統合↕隔離、内面↕外面といった二項対立や比較に焦点を当てたものがたくさんあります。

グラフィティのようなストリート・アートの作品は、今でこそ企業の宣伝ポスターなどに使われたりしてとても身近なものですが、もともとは社会の底辺に押しやられている人が社会への反抗のために始めたものです。そもそも壁に勝手に落書きを描くのは軽犯罪ですからね。

抽象的であり具体的。自由なニュー・ペインティング現象

彼の絵は、一見して抽象的なので抽象絵画のようですが、抽象絵画とも違って実際にある具体的なものが多く描かれています。けれど、遠近法といった**法則性があるというわけではなく、ただ自分が描くことを楽しんでいるような絵です。**

実際、彼は美術教育を一切受けていません。

ポロックの項で登場した批評家のクレメント・グリーンバーグが『アバンギャルドとキッチュ』という批評を書いてから、美術界では美術がどんどん考えるものになり、わかりにくく難解になっていきました。「**絵を描くこと**」「**作品を作ること**」**とはなんぞやという命題**について、哲学的にも深めて考えるようになっていったのです。

自分で描く必要があるのか？　ないのなら、ラジコンカーのタイヤに絵の具をつけて紙の上を走らせてみよ

うとか、逆に何も描かないでみようとか、いろいろなことを試した作家も出てきました。

けれど、その流れを無視して、好きな絵を好きなように自分の手で描きたいと望む人たちが出てきます。先ほども書いた「ニュー・ペインティング」と言われた作家たちです。**彼らが描いたのは、わかりやすいモチーフのある具象画でした**。とは言いつつも、**それまでのヨーロッパで通じた、洗練された絵ではなくて、粗雑に殴り描いたような具象でした**。

グリーンバーグは、宗教的なテーマや神話のテーマを絵に盛り込むことは、すでにあるものを繰り返しているだけであって、世俗的で評価できないと否定しました。ですがバスキアらは、これらのテーマもどんどん作品に盛り込んでいきました。**なぜって、だって好きだから!**

作品を見た人たちは、「絵のテーマもわかりやすいし、これなら俺たちでも描けそう! 見ていてもとても楽しい!」と思いました。音楽にたとえるなら、それまで歌詞も技術も難解なプログレ音楽が流行《はや》っていて、こんなの自分たちにはできないし楽しめないよと思っていたら、セックス・ピストルズのような技術無視のパンクロックが出てきて閉塞感を打破してくれる……という感じでしょうか。鑑賞者は、3つのコードだけで作られた名曲を聴いた少年のような気分になれたのではないかと思います。

心をわしづかみにするローテクはすごい勢いで波及しました。

「ブラック・ピカソ」として時代に翻弄される

当時のアメリカは、黒人差別が今よりも強くあった時代です。現在ですら解消されていない問題なのですから、当時の強さは今と比べものになりません。

そのような中、**彼は黒人のピカソ級の天才**と言われ、「**ブラック・ピカソ**」と呼ばれプロモーションされるようになりました。しかしこれは、本人的にはかなり嫌に思っていたと言われています。

なぜなら、「ブラック」という冠がつくと、マイノリティ出身であることのニュアンスが強く打ち出されることになるからです。

現在でもそうですが、**マイノリティのニュアンスが強く押し出されると、そこばかりに注目が集まって、作品そのものを見てもらいにくい感じがします**よね。

また、バスキアはピカソから大きな影響を受けているものの、ピカソの名前でもてはやされることには懐疑的な思いを抱いていたそうです。ピカソはしっかり美術教育を受けていますが、バスキアは美術教育を受けていませんから、自身のストリート的側面が薄れると感じたのかもしれません。

しかし絵の魅力とプロモーションが相まって、バスキアの作品は爆発的に売れていきます。

ボクシング漫画などでは、もともとは不良だったけれどボクシングを始めてからは、それまでの悪い友達との付き合いをやめていく……といったシーンがよく見られますが、バスキアもセレブの仲間入りをしてからはそれまでのスラムの友達付き合いをほとんどやめてしまいました（画商たちにやめさせられたと言われています）。

バスキアはセレブの仲間入りをし、生活がどんどん変わっていきます。周囲の見る目が変わって、彼はどんどん心を病んでいきます。

不自由なスター、心の父親はウォーホル

荒《すさ》んでいくバスキアの心の支えが、この章の最初にご紹介をしたアンディ・ウォーホルでした。ウォーホルは、彼を最初に見いだした人間の1人で、あちこちのパーティにバスキアを連れていっては人に紹介していきました。

《二つの頭》
(1982)
←バスキアが描いた2人の肖像。
仲良いな
彼はすごく才能がある！
2人でコラボした作品もたくさん作る。

ウォーホルはバスキアに出資をすることを惜しみませんでした。バスキアの父親が暴力を振るう人でしたから、その父から逃げるように家を出てきたバスキアにとっては、自分を大切にしてくれるウォーホルのことが本当の父親のように思えたそうです。ウォーホルとの共同制作も多くしました。

ウォーホルは当時、アメリカのポップ・アート界では超メジャー級の大スターです。当時はセレブの世界でも大人気でした。ですが、スラム街でストリート・アートやグラフィティをするアーティストにとって、ウォーホルは敵でした。

今でもそうですが、**血気盛んな表現をしようとする人から見れば、メジャーは敵対視するべきもの。**つまり、**ウォーホルと仲良くなったバスキアはグラフィティの世界からしたら裏切り者として見られたのです**。バスキアの居場所はどんどんなくなっていきます。

バスキアと27クラブ

ウォーホルが唯一の心の拠り所だったバスキアは、ウォーホルが亡くなってからは孤独になってドラッグに溺れ、ウォーホルを追うように27歳の若さでヘロイン中毒で亡くなりました。

有名なロックンローラーはカート・コバーンしかりブライアン・ジョーンズしかり27歳で死ぬというジンクスがあり、「27クラブ」という名前で呼ばれています。その点で言えば彼はまさしくロックンローラーでした。

バスキアは時代に翻弄された画家でした。彼の作品はアイコニックで人を惹きつけるため、今でもバスキアのような作品を発表する作家は多くいます。バスキアの絵は、一見しただけでは簡単に描けそうな感じもしますから。

しかし、彼のバックグラウンドと紐《ひも》付《づ》いた彼の作品が

持つ、「持たざる者の反逆」「無《む》垢《く》さ」というイメージは強力。バスキアの実物は唯一無二、圧倒的に切実でかっこいいのです。

美術界を
駆け抜けて
27歳で亡く
なった……
ホントに
ロックスター
みたいだ……

有名なイメージを作品に盛り込む「シミュレーショニズム」

年代：1954～　　出身地：アメリカ

シンディ・シャーマン

オリジナリティや新奇性を大切にする美術に対して、すでにあるイメージを作品に取り込んだのがシャーマンです。彼女は、**有名な映画のワンシーンや、有名店のロゴなど、身の回りにあるイメージをどんどん美術に取り込んでいきます。**自然の中で育った子供が森の絵を描くように、大衆文化の中で育った子供はそのイメージを絵に取り込んで描いていくのです。

《untitled#96》(1981)
ポルノ雑誌の見開きをイメージさせる写真作品。2011年に約３億円で落札された。当時の写真作品では最高金額！

《untitled film still#21》(1978)
映画のワンシーンを切り取ったような写真シリーズの１つ。どことなくこの後不穏なことが起きそうな感じのする写真。

元祖自撮り作家
シンディ・シャーマンです！
一緒に撮る？
インスタグラマーみたいな作家だなぁ
最近はインスタもやってます
やってるんだ…
《untitled film still #14》〈1978〉
自分の部屋やスタジオにセットを組んで自撮り作品を作った！
パシャリ
なんで自撮りが作品になるんだい？
彼女は映画や雑誌のワンシーンを彷彿とさせる自撮りを撮った
パシャ
みんなが知ってる文化を引用して作品を作ったのです！
こういう引用によって「美術は唯一無二のもの」という考えを否定する運動をシミュレーショニズムと言った
彼女はポップ・アートから派生して生まれたシミュレーショニズムの代表作家！
雑誌のみひらきをモチーフにした横長の写真
《untitled #96》〈1981〉
引用っていうかパクリですか？
私は実際にあるものをそのまま使ってはいないからパクリとは違うかなあ
ぼくはそのまま使ってるよ
あるものそのまま！
アンディうるさい!!
ここから現代美術は引用や昔の作品のコラージュが主流になるんだ！
だから作品鑑賞に昔の作品や文化の知識が必要になる
現代美術がわかりにくい原因の1つだね
ヒョイ
知ることが多すぎて頭が1つじゃ足りないよ…
じゃあ頭を増やせばいいじゃない！
ビジュベロス！
パシャ
スゴーイ
君って犬？悪魔？どっち？
しゃべるし…

引用！ コラージュ！ 盗用！

「社会に浸透するあのイメージ」で美術道

美術を「特別」なものとして考え、「新しさ」にこだわった第1章の流れに対抗するように、第2章のポップ・アート作家は、特別でない「日常」や「大衆文化」を美術に持ち込み、新しくない「模倣」や「反復」をテーマにして、美術道の様子をガラッと変えようとします。

そんなポップ・アートが浸透すると、その次に出てきた**新しい世代はもっと自然に、自分たちの作品の中に社会や文化を持ち込んでいきました**。それは、マクドナルドのロゴだったり、有名な映画のワンシーンだったり、その時代の文明や文化の象徴的なものでした。この美術運動のことを「シミュレーショニズム」と呼びます。これらの世代は、**ポップ・アートを次のステップに進めたという意味で、「ネオ・ポップ（新しいポップ）」**なんて言われ方をします。

これを読んでいる皆さんも街に出てあたりを見回してみれば、チェーン店の看板などをたくさん見ることができるでしょう。自然の中で育った子供が自然に森の絵を描くように、大衆文化の中で育った子供は自然にその文化の記号を絵に描いていったのです。

ごく自然に引用や盗用をする作家たちの作品は、それまでの、美術は作家たちが考えた「唯一無二のもの」と

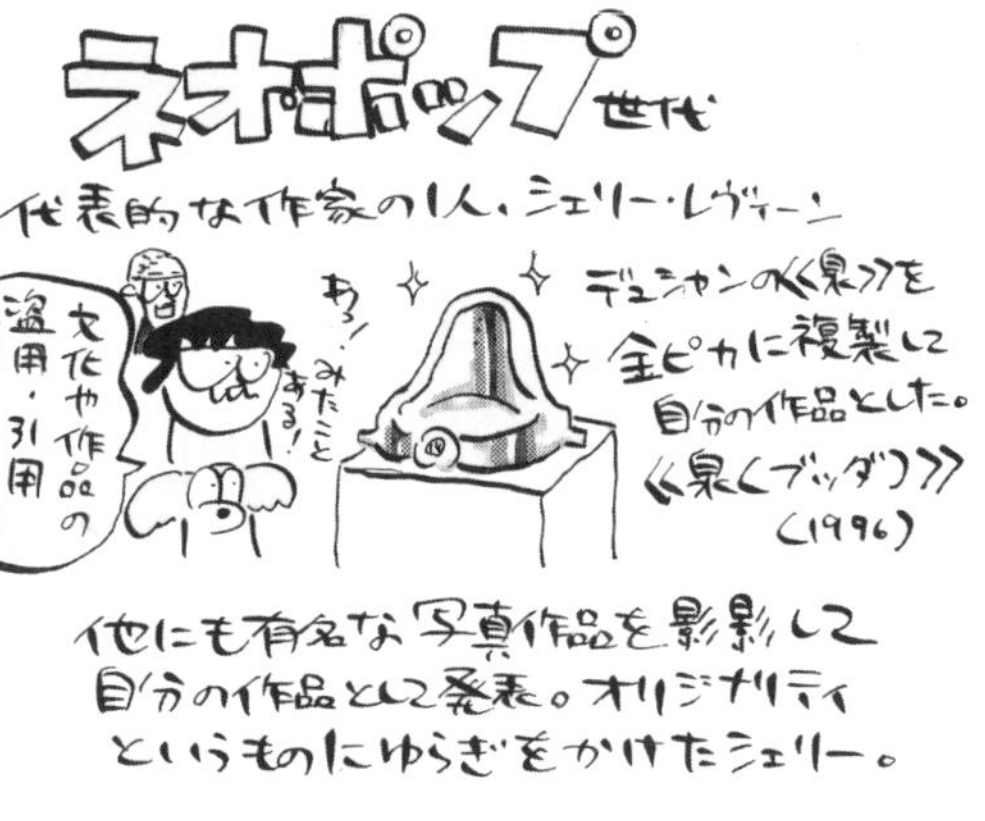
ネオポップ世代
代表的な作家の1人、シェリー・レヴィーン
デュシャンの《泉》を金ピカに複製して自分の作品とした。
《泉(ブッダ)》(1996)
あっ! みたことある!
文化や作品の盗用・引用あたりまえの時代に…!
他にも有名な写真作品を撮影して自分の作品として発表。オリジナリティというものにゆらぎをかけたシェリー。

いう考え方を否定しました。

作家が苦労して考えたオリジナルの作品が神聖な美術作品になるという認識は、この時代あたりから薄らいでいきます。例えば、みんなが知っているイメージを反転させたり、絵を揺るがせたりショックを与えたりして、新しい見方を模索しました。また、いくつかのイメージをバラバラにしたものをまた1つに統合して、全く違うイメージを生み出したりしたのです。

こういった手法は、「引用」「コラージュ」「サンプリング」「盗用（人聞きの悪い言い方ですが、手法の名前です！）」というキーワードになって、現代の作品でもよく登場します。

そして、この代表的な作家の1人がシンディ・シャーマンでした。彼女は自ら被写体となって映画や雑誌など、**どこかで見たことのあるようなシーンになりきった写真を撮りました。**

彼女の写真を見た人は、自分の中に刷り込まれた映画や雑誌などのイメージを思い出すことになります。

作品を見ることで、記憶が引っ張り出されることをイメージをしてみてください。デュシャンにあった「感じるな！　考えろ！」からさらに進んで、慣れ親しんだイメージを利用することで「**違和感なく見せつつも、作家のメッセージを強制的に考えさせる**」作品です。

シャーマンのスゴイところ

「唯一無二」こそ美術！　という考え方を否定して、みんなが慣れ親しんだ文化イメージをどんどん美術の中に取り込んでいきました。それは一見して見たことのあるイメージであるため、見た人は半ば強制的に記憶を引き出させられ、考えさせられることになります。

どこかで見たことのあるシーンになりきるシャーマン

シャーマンは1954年にアメリカのニュージャージー州で生まれました。ニューヨーク州立大学バッファロー校で絵画の勉強をしていて、写真や雑誌の絵をリアルに模写していました。大学では、絵画のほかに必修科目として写真も勉強していたそうで、1976年に大学を出てからは写真の作品をメインで作ります。何時間もかけて絵を描くくらいならば写真で撮ったほうが早いと考え、空いた時間をコンセプト（意味）を考えることに費やそうとしたのです。

卒業してから1年後、作家として活動するためにニューヨークに引っ越します。そしてニューヨークの部屋をアトリエにして、まず自分を被写体にしたモノクロ写真を撮り始めます。それが「untitled film still」（1977〜80年）というシリーズでした。彼女はこのシリーズで一気に知名度を上げます。

「untitled film still」というシリーズの写真は、まるでよくあるB級映画やホラー映画のワンシーンを切り抜いたような作品でした。実物はとても大きくプリントされていて迫力があります。

彼女の写真は、実際には何かの映画のシーンをそのまま演じているわけではありません。彼女が作ったシーンだけれど、「**なんとなく存在していそう**」なシーンなのです（彼女の作品に具体的な引用元がないことから、「オリジナルのないコピー」だなんて周りからは言われました。不思議な言葉ですね）。

ですから、**この写真を見た観客は自分が今まで見てきた映画のシーンをなんとなく思い浮かべます。**

例えば、「こういう映画に出てくる女の子ってこの後にひどい目にあうんだよなあ」「こういうホラー映画では、こういう女の子は大体殺人鬼に殺されるんだよなあ」といった記憶です。

　このようなことを思い出したり考えたりするとき、人はフィクションの中での女の子の役割というものに目を向けることになります。**映画を楽しんでいるときは気づかなかったけど、「女の子っていつもひどい目にあってるよね」といった、女の子が決まった役割を押し付けられている様子をシャーマンは伝え**

映画のワンシーンのようなモノクロ写真
Untitled Film Stillシリーズ
既視感がある写真…
映画のステレオタイプな女性像をあえて演じました。
#32
#27B
#27

たのです。もっと言えば、フィクションの中だけではなく、現実でも同じ扱いを受けていない？　と問いかけたのです。

　一番有名な彼女のカラー写真は《untitled #96》（1981年）という作品です。これは横長の写真で雑誌の見開きページのようになっています。雑誌のエッチな見開きページのことを英語で「センターフォールド」と言うのですが、アメリカの人はこの作品を見てすぐさまそれをイメージしました。

　女の子がうつろな目で倒れているのですが、「センターフォールド」を知っている人がこれを見ると、無理やり性行為をされた後みたいな状況の写真に見えるのです。この写真を撮るためには、この女の子に覆いかぶさるように撮らなくてはいけません。ですから、上から見下ろされている被写体が感じるであろう抑圧されたイメージも、この写真を見ている人は強制的に感じさせられることになります（ちなみに2011年にこの作品は、当時、写真としては史上最高額の3億円を超える値段で取引されました）。

このようにシャーマンは、抑圧されている女の子のイメージを、世間の中での女の子のイメージと上手く合わせて表現しました。シャーマンは、既存のイメージを利用して自分の伝えたい別のことに誘導したのです。

《Untitled #96》（1981）
写真が億するなんて信じられない！
彼女の一番有名な作品！
イメージ
パシャ
真上から撮っているカメラマンの存在を感じるのでより被写体が抑圧されているように感じる。
ヒュ…

シミュレーショニズムは加速する

彼女の作品はシミュレーショニズムの代表格となりました。現在では、どんな作品でも当たり前のように過去の作品を引用して作られています。ポップ・アート的な作品を作る作らないにかかわらず、引用やオマージュ、サンプリングはどのジャンルでも当たり前の手法になっているのです。

テレビアニメ「チェンソーマン」のオープニングを人気ミュージシャンの米津玄師が担当しましたが、その曲「KICK BACK」はモーニング娘。の「そうだ！We,re ALIVE」の歌詞を一部サンプリングして作られていたのが話題になりました。

チェンソーマンの時代設定である1990年代に流行したモーニング娘。の、明るい未来への希望を歌う歌詞を、やけくそな感じで歌うことで、絶望的な状況に置かれながらも幸せを願うチェンソーマンの主人公デンジの心境がくっきり浮かび上がります。このように、**よく知られたイメージをシミュレーションして転換することで、聞いた人により強い印象を与えられるのです。**

また、シンディ・シャーマンの作品はよくフェミニズム・アートの代表作として扱われます。シンディ・シャーマンは、アダルト雑誌の見開き写真のような写真を自分で作って性暴力を表現しました。**そうやってそれまでのステレオタイプな女性像に異議を唱えたのです。**

美術界に限らず、社会における女性の不均衡・不平等はいまだに問題になっています。ですから、彼女たちの意思を継いだ作家は現在でも活躍しています。

作品の価値は価格に現れる!?
資本主義のバグをついたハッカー！

美術のペテン師？
君も有名になれる！
なにこのビジネスマンみたいな人
美術をお金に変える天才！

ジェフ・クーンズ

年代：1955〜　　出身地：アメリカ

美術と言うと、崇高。そんなイメージをひっくり返すかのごとく、**大衆文化の低俗・安っぽい部分を作品作りに扱ったのがクーンズ**です。中身が空気のバルーン・アートや、アニメキャラクターなど、いかにも軽そうなテーマを扱います。驚くべきは、彼の作品は安っぽく見えるのに、現存する作家の中で世界一高い値がついているということ！　世界一高い作品は、世界一評価の高い美術作品？

100億！
現実味ない値段…
104センチくらい

《ラビット》(1986)

ウサギの空気人形をステンレス製の彫刻として作った。100億円という超高額で取引される。

かわいくてちょっとほしいかも

《マイケルジャクソンとバブルス君》(1988)
大スターのマイケル・ジャクソンと、そのペットのバブルス君を陶器で作った。

低俗を極めて最高値で売る!

「安っぽいのに100億円」な美術道

ポップ・アート道の最後に出会うのは、ジェフ・クーンズです。

彼の作品の特徴は、なんと言っても、ぱっと見、ものすごくチープであること。クーンズは、よくある大衆文化のイメージの中でもとくに低俗で安っぽく、けばけばしいイメージを使って生み出す彫刻作品が有名です。例えば、ピエロが作ってくれるバルーン・アートのわんちゃんをそのまま巨大化させたステンレススチールの彫刻などがあります。

そして驚くべきは、**この作品に何十億円、何百億円という金額が平気でつくこと**です。

今からハリネズミくらい尖《とが》ったことを言います。

現代美術や現代アートって、何がいいのかわからないような作品に法外な値段がついていて、それを何もわかっていなさそうな金持ちが買っていく……そのようなイメージがいくらか一般的に共有されてはいないでしょうか。そして、そんなイメージの40パーセントくらいを作っているのが、このクーンズだと思っています（ってハリネズミが言ってました。私じゃないです）。

これはもちろん誇張しすぎの話ですが、それにしても、ニュースなどで美術作品のオークションが話題になるとき、「**どうしてこんな作品に、高い値段がつくの？**」と思ったことはないでしょうか。

美術作品に高い値段がつくのには、いくつか理由があります。最もわかりやすいのが、希少価値だから、というもの。作家がすでに亡くなっていて、新作はもう生まれないというのが代表的です。しかし、クーンズは2023年現在も存命であり、**存命中の作家作品の値段がここまで高くなることは現代美術界でも珍しいこと**です。

クーンズの作品《ラビット》（1986年）は、現存作家では最高額の100億円という値段がつきました。やばいですよね。補足しますが、《ラビット》はステンレススチール製です。全部ダイヤモンドでできているとかでもありません。

彼は、**値段が競《せ》り上がっていくオークションの仕組み**

みと美術作品の価値のつき方の仕組みを利用して、自分の作品を100億円という価格にまでつり上げたのです。

クーンズのスゴイところ

クーンズが生み出した、超絶技巧で作られたステンレススチール製の空気人形の彫刻作品には、現代美術が扱ってきたテーマが大量に盛り込まれました。

①よりリアルで精巧なものを作ろうとした歴史、②デュシャンが低俗な既製品を美術として見せ始めた歴史、③ウォーホルが大衆文化を美術に取り込んだ歴史、④クーンズがずっとこだわってきた「空気」のテーマ、というように。

その結果、作品の価値がどんどん高まっていったのです。こうしてクーンズの作品は100億円という破格の値段になりました。

ジェフ・クーンズはビジネスマン

ジェフ・クーンズは、美術作品の価格に敏感であるという、まるでビジネスマンみたいな美術作家ですが、**そもそもホントにビジネスマンをしていました**。

シカゴの美術大学やメリーランド州ボルチモアの大学で絵画の勉強をして卒業してからは、ニューヨーク近代美術館（MoMA：The Museum of Modern Art, New York）で働き出します。

MoMAは、美術史の中でもとくに重要な作品を数多く所蔵している美術館です。現代美術における世界の有力者ランキングでは、MoMAの館長がいつも上位に入ります。

クーンズはMoMAで美術館スタッフとして会員権勧誘の仕事をするのですが、在籍中に歴代1位の売り上げをたたき出したこともあります。**最強のセールスマンだった**そうです。

彼はその後、作家として活動するようになってからも、作品制作の費用を稼ぐためにいくつか仕事をするのですが、ここでの経験や人脈が、彼の美術ビジネス活動に大きく貢献しています。

クーンズはデュシャンのレディ・メイド作品に影響を受けて、空気人形のおもちゃをそのまま作品として置いたりしています。**彼にとって「空気」というテーマは命の源という意味合いがありました。ですから空気人形は命を吹き込まれた人形だったのです。**

彼が1980年に開いた「THE NEW」という個展では、最新の掃除機をそのままショーウィンドウに並べる展示を行いました。常に新しいものが求められ、模索される美術作品を、常に新作を求められる家電製品になぞらえたのです。

彼の作品はコンセプチュアルかつ、現代アートの仕組みに対する批判の目を持っていました。

クーンズが掃除機を作品のモチーフに選んだのも、理由がありました。先述したように、彼は「空気」に意味を感じていました。掃除機も空気を循環させるものですから、空気人形の作品とつながりがありますし、彼は掃除機のことを「呼吸する機械」と呼んだのです。彼はこのよう

初個展「THE NEW」(1980)
ただのショーウィンドウみたい…
そうじき…
THE NEW

に、**一見するとただの空気人形や掃除機でしかないものを、どう特別なものに見せるかにこだわりぬいた作品を作っていきます。**

「大衆」を超えてさらに「低俗」へ！

初期のクーンズは掃除機といった既製品を、レディ・メイドの手法でそのまま展示するということをやっていました。その後彼は、ウサギの空気人形や俗っぽいおもちゃをステンレススチールの鋳造で彫刻として作り始めるようになります。

この彫刻は、一流の職人に高いお金を払って作ってもらうことで超絶クオリティが実現し、ぴっかぴかな存在感が生まれました。本物の空気人形と見間違うくらい、リアルで精巧でした。

デュシャンは、小便器という俗っぽい既製品を理論

武装で高尚な美術作品に転換しようとしました。それに対してクーンズは、**既製品を物理的に高尚な作品に持っていこうとします**。

超絶技巧で作られたステンレススチール製の空気人形の彫刻には、**たった1つのシンプルな作品に現代美術が扱ってきたテーマがこれでもかというほど大量に盛り込まれました**。「過去を作品に引用する」という行為自体も、シンディ・シャーマンの項で見たように、美術の歴史的価値を使った行為ですね。

こんなに考え尽くされている作品なのに、先述した《ラビット》などは**見た目はうさちゃんの空気人形というばかばかしさ**。

それもあって**この作品の評価は、「最高だ!」と評価する人と、「最低だ!」と評価する人とで真っ二つに分かれます**。ちなみに私自身は「最高!」と思ってしまった側です。


「**現代美術はそれまでの美術の歴史を踏襲しつつ、さらにその先にある最新の時代を切り拓くものだ!**」と言わんばかりの意気込みを感じます。

実際に実物の作品はぴっかぴっかの鏡面仕上げで作られており、周りに他の作品を展示していればそれが空気人形に映り込みます。**周りの作品の歴史を吸収して自分に映すというのです**。ここまでくればもう圧巻ですね。

クーンズはその後、低俗なモチーフをま

るでそれが高級品であるかのように作りました。見た目もかわいく耐久性があるのでみんながこぞって欲しがり、どんどん高値がつきました。

ポップ・アーティストたちは「大衆的」の価値を変えていきましたが、クーンズは、「大衆的」をさらに超えて「低俗」まで扱い、その価値を変えていったのです。

まるで資本主義のバグをついたハッカーのようだ！

資本主義の世の中では価値の指標として「お金・金額」が扱われます。

つまり、**作品に高い値段がつけばつくほど、その作品には価値がある**と見なされるようになります。

先ほど、価格が上がる要素に「希少価値」があると紹介しました。その他にも、例えばものすごく古かったり、民族的な伝統を示したりするなど、歴史的に価値がある「歴史的価値」も価格を上げる要素です。

クーンズのスゴイところは、この「歴史的価値」を“今”作ってしまおうとしたところです。

作品を、先述したような美術の歴史上に位置づけて紹介したうえで、「**この作品は今までの美術の歴史から見て、最新の作品です！　歴史的価値があります！**」と主張したのです。

たとえそれがでっち上げのはったりだとしても、**ひとたび高額で売れてしまえば、その値段分の歴史的価値がついた作品として歴史に残ります**。さらには、作品を買ったお金持ちは、その100億円の作品を見いだした審美眼のある人間として歴史に残ります。

作る人間と買う人間の利害関係が一致したことで、クーンズの作品は爆発的価値を生んだのです。

まさに、**資本主義のバグをついたハッカーであり、ビジネスマン……！　天才だ！**

ビジネスマン時代の経験で経済に強く、美術史にも詳しい彼ならではの作戦でした。

今後、クーンズの作品の価値はどう評価されていくのか？

デュシャンは小便器を高尚な美術品にしようとしました。けれど作品自体は捨てられてしまい、その目論《もくろ》見《み》自体は失敗してしまいます。

一方、クーンズの作品は高額作品として世に残ることになりました。

彼の作品であるバルーン・アートのわんちゃんや、空気でふくらませたウサギをモチーフにした彫刻は超高額作品になりましたが、**安っぽい見た目なうえに中に入っているのは空気**です。つまり、彼にとってその作品の主役はあくまでも「空気」なのです。「**空気に何億円もの値段をつけることはできないか**」と考え

たクーンズの作戦は、見事に成功したと言えるでしょう。**ただの空気を高価値にしたという意味では、デュシャンが小便器に価値をつけようとした試みよりも、馬鹿馬鹿しさで言えば、強いかもしれません**ね。

普通に考えれば、どんなに質がよかったとしても、ただの日用品では、何十億円という高い値段では売れません。けれど、**美術作品につく値段は、歴史的価値があると信じる人がいて、それを手に入れたいと望む人がいる限り、天井を知らないのです。**

《バルーン・ドッグ》
(1994〜)
針でつついてみよう！
パン！
いつはじけてもおかしくない
あやうい美術の価値の象徴なのだ！

資本主義の時代における、オークションの値段がどんどんつり上がる仕組みを利用してそれを証明してみせたのが彼でした。

でもそれは実は、「歴史的価値があると信じている人がいる」ために成り立っていることです。歴史的価値は、時代の変遷によっていつコロリと変わってもおかしくはありません。

大きな空気人形の彫刻は語りかけます。これは**実体のない空気に金額がついているようなもので、いつかバルーンごと弾けるものだと**。クーンズにとって、作品についている金額もコンセプトの1つでした。

美術とお金ってふしぎ…
プシュー

〈第2章 ポップ・アート道〉の特徴

思想的に難解化する美術に対して、身近にある大衆文化を取り入れる、わかりやすい作品が増えていきます。

誰にとっても わかりやすい！

アンディ・ウォーホル

難解・高尚な美術に対して、**誰でもわかりやすい美術を目指した**。日用品やハリウッド映画など、大衆に馴染みのあるものを扱った。

大量に増える水玉にこそ 意味がある

草間彌生

唯一無二の美術に対して、**モチーフを繰り返し反復させることで作品を作った**。その反復の激しさは、抑圧される人々から支持された。

新しい美術は、 新しい技術で作る

ナム・ジュン・パイク

当時最先端技術であったビデオなどの電子機器を美術に融合させた。新しい技術を美術に取り入れることの重要さを示した。

「好きに描く」が 一番かっこいい

ジャン＝ミシェル・バスキア

暗黙のルールがある美術界を無視し、**「好きなように描く」自由精神とストリートベースの美術で人々の心をつかんだ**。

無自覚に多用する描写、 その意味は？

シンディ・シャーマン

身の回りに当たり前のように浸透している文化的イメージを取り出して、**ステレオタイプな女性像に異議を唱えた**。

資本主義時代の、 作品価値は値段？

ジェフ・クーンズ

崇高な美術に対して、**大衆文化の低俗・安っぽい部分を作品作りに用いた**。彼の作品は安っぽいのに、現存する作家の中で世界一高い値がついている。

第1章で見たように、美術はどんどん「考える」ものになり、思想的に難解になっていきます。これに対して、スーパーマーケットに大量に並ぶ日用品や、ハリウッド映画などの大衆娯楽を作品に取り入れるなどして、「日常生活」にあるものからインスパイアを得た「わかりやすい」美術に注目が集まるようになりました。キーワードは「大衆」「日常」。

第3章 その頃日本。目立つ新人、美術を壊す

前衛美術道

海外と異なる文脈で最先端の美術を切り拓く！
「コラージュの天才」

前衛美術をつくって
ワクワク！
新聞
NEWS

桂《かつら》ゆき

年代：1913～1991　　出身地：日本

世界中で新しい美術が模索されている中、**日本では自国の大衆文化や風土を作品に取り込むことで美術を発展させようという動きが生まれていました。**とくに桂ゆきは、手探りで進む日本前衛美術を切り拓いた第一人者です。当時、日本には情報が入っていなかった「コラージュ」という技法を独自に見つけ、さらに海外の流行とは異なる文脈でこれを発展させました。

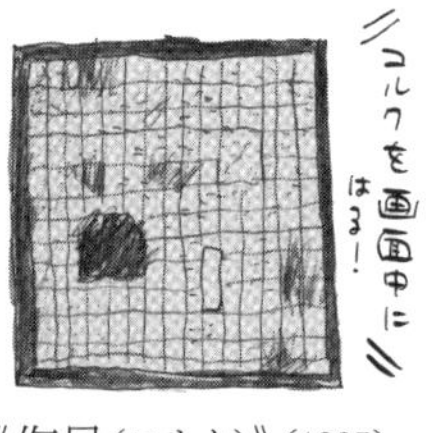
コルクを画面中にはる！

《作品（コルク）》（1935）
日本でコラージュ技法をいち早く作品に取り入れたのが彼女！　とくにコルクを画面中に貼った作品が評価を受けている。

1966年の現代日本美術展最優秀賞
権兵衛が種まきゃカラスがほじくる♫

《ゴンベとカラス》（1966）
民話「種まき権兵衛」をモチーフにした油絵。新聞紙などがコラージュされている。

手探り日本前衛美術の第一人者

「日本の大衆文化で日本前衛美術道」

さて、第3章は舞台を日本に移します。これまでの章では海外、とくにアメリカを中心に、新しい美術が生まれる様子を見てきました。けれど、**美術の模索はもちろんこの日本でも行われています。**日本の大衆文化や風土、歴史を作品に取り入れながら、これまでに見てきた美術とは違った文脈を持つ、新しい美術を模索する動きがありました。戦後の日本ではこれを「**前衛美術**」と呼びます。前衛とは、時代を先駆けようとすること。実験的で野心的、既存の枠を越えようとすることの意味を持つフランス語「アバンギャルド」の日本語訳です。

そして、**そんな前衛美術の道を切り拓いた代表的な先駆者が、画家の桂ゆき**でした。

1913年生まれの桂ゆきが美術を本格的に始めた1920年代という時代は、1917年にアメリカでデュシャンが《泉》を発表して以降、現代美術というものが世界的に出始めていた頃でした。この本ではあまり触れていませんが、ヨーロッパでは、ワシリー・カンディンスキーやパウル・クレーらが「抽象画」を、ルネ・マグリットやサルバドール・ダリらが「シュルレアリスム」といった新しい美術を生んでいた時代です。

とはいっても、戦前の日本の作家たちは、海外の美術の動向や情報について、ほとんど入手できずにいました。

このような状況だったので、日本で新しい美術をやろうとしていた人の多くは、海外に行ったことのある人に話を聞いたり、実際にヨーロッパに

当時の最先端2つ！
シュルレアリスム
夢みたいな風景を描いた
ルネ・マグリット
サルバドール・ダリ
抽象画
パウル・クレー
ワシリー・カンディンスキー
抽象画の祖こと

行ったときに見たものをマネしたりしていました。しかし、**海外の作品を見に行くでも、マネするでもなく、海外の動きと距離を取りながら独自の表現を生み出したのが桂ゆき**でした。

彼女をとくに有名にしたのは、身の回りにある道具や持ち物を使い、日常と美術をつなげたコラージュの技法を用いた作品です。

コラージュとは、別のところから持ってきたさまざまなものをキャンバスに貼り付ける絵画の技法です。例えば、写真や新聞紙をちぎって糊《のり》で画面に貼り付けていく作品もその1つです。**貼り合わせ方によっては、もともとその写真や新聞紙が持っていたものとは全く違う新しいイメージを生み出します。**

コラージュ
(糊ではるという意味)
写真とかを切りはりして別のイメージをつくるの
ペタッ
オレがムキムキに…
今だったらパソコンでやったりすることが多い。

皆さんも小学校や中学校の美術の時間にやったことがあるかもしれません。

コラージュは、フランスでは最先端の美術の技法として1910年代から注目されていましたが、日本ではほとんど知られていませんでした。桂自身は1930年頃からコラージュの作品を作りますが、最初はその名前も知らなかったと言われています。また、フランスでは現実世界とは別の新しい世界を表現する方法を模索するためにコラージュが注目されていましたが、桂は身の回りにある道具などを使って、日常生活と美術を結びつけた作品を作ります。**桂は、日本にいながらコラージュの技法を独自に思いついて、ヨーロッパとは違う発展のさせ方をしたのです。**

また、桂が美術を志した1920年代頃の日本では、画家や彫刻家は男性の職業とされていました。女性が美術をすることができたのは習い事の範囲だけだったのです。「美術は男がやるもの」と言われた時代に、桂は手探りで独自の美術を展開していきました。

桂のスゴイところ

美術の情報が海外から入ってこない戦前の日本の状況下で、桂は「コラージュ」という技法を独自に見つけ、コラージュが流行していたフランスでも試みられていなかった日常と美術が結び付く作品を作りました。やがて世界の最新の美術に触れながら、日本の民話などを取り込んだユーモアある社会風刺的な作品も作ります。前衛と日常、社会風刺とユーモア、日本と世界を行き来しながら手探りで日本前衛美術を発展させた第一人者です！

最先端の環境で絵を学ぶ　桂ゆきの生い立ち

桂は1931年に女学校を卒業してから油絵を始めるのですが、何人かの先生のもとで教わりつつも、教科書通りのアカデミックな油絵を描くことにうんざりしてきます。桂はより新しい表現を求めて、アバンギャルド洋画研究所という私塾に通い始めます。すごい名前の塾ですよね。この私塾で教えていたのは**東郷青児《せいじ》**や**藤田嗣《つぐ》治《はる》**という後の日本の洋画の大スターたちでした。

アバンギャルド洋画研究所！
藤田嗣治
東郷青児
どちらも美人画を描いて有名！

桂は研究所の生徒が抽象画を描いているのを見て衝撃を受けます。当時の日本で教えられていたアカデミックな絵画は、対象を正確に再現しようとする具象的絵画ばかりだったからです。

話が少し逸《そ》れますが、もしこれを読んでいる皆さんも、何かを始めたい、極めたいというものがあれば、まず**はより刺激を与え合える環境に行ったほうがいいと思います。**

才能というのは元から人に備わっているものではなくて、人から人へ伝染するものですから。

桂が拓いた、彼女だけの「コラージュ」

1930年に彼女は誰に言われるでもなく勝手にコラージュ作品を作り始めます。桂は先ほど説明した写真や新聞紙以外にも、コルクや薄い紙といったものをキャンバスの上に貼り付けた《土》（1939年）を作ります。この作品を、当時長いフランス滞在から帰ってきた海老原喜之助《えびはらきのすけ》が

《土》(1939)
うさぎや虫や人がたくさん!
写真でコラージュしたものを
油絵で描いていく!

見て、「これは日本では言葉も知られていないが、コラージュという手法だ！　そしてでき上がった絵も面白い」と言って、大絶賛。彼女に個展の開催をすすめました。そして1935年にコラージュの作品だけを集めた初めての個展を開いて評判を得ます。

海老原はさらに、桂の作品は彼女にしか作れない独自性のあるコラージュだと評価します。実際、彼女の作品はとてもユニークです。それは、桂が実際に感じている感覚が作品に込められているからでしょう。桂は、普段身の回りにあるもの（桂はコルクをよく使いました）を絵の中に入れ込むことで、自分の生活感と美術をつなげようとしたのです。

さらに特筆すべきところは、**彼女の作品が、美術と日常をつなげようとする運動が世界的に流行する前に作られていたこと**です。第2章でご紹介をしたように、ウォーホルらポップ・アーティストたちが美術と

日常をつなげようとしますが、これが流行するのは1960年代以降です。コラージュ最先端のヨーロッパでも、コラージュで日常と美術を結び付けようとは試みられていませんでした。**桂が手探りでやっていたことが、勝手に時代を先取りしていたということになります。**

桂、海外の価値観を取り入れてさらに成長

桂は1956年にフランスに行きます。それまでは自然に世界の流行を先取りしてしまうナチュラル天才主人公のような作品を作っていましたが、**現地で最先端の美術作家に会いに行く**ことで桂の作品の先駆性も加速していくことになります。

桂は、青い作品を作り続けたことで有名なイヴ・クラインや、美術だけでなく演劇、小説、映画など幅広いジャンルで活躍したジャン・コクトーなどとも交流します。1960年には草間彌生とワシントンやニューヨークで一緒に展示をし、そこで桂は大きな画面をコラージュで覆った作品を作りました。

1961年の帰国後に桂は、女性の着物の裏地に使う赤い絹の布を使って、日用品や米を炊く釜といったものを覆う作品を作るのですが、この作品には先ほど出てきたイヴ・クラインや草間彌生の影響が見えます。

さらに彼女は、三重県の民話の「種まき権兵衛」をモチーフにした《ゴンベとカラス》(1966年)という作品を作っています。真面目に種をまく権兵衛と、それをひっくり返すカラスに自分の作品のあり方を見ようとしたと言われています。その他にも、彼女は社会や人をユーモアを込めた寓意的表

RED
草間のソフトスカルプチャーや、
イヴ・クラインの何でも青い作品の影響?
《お釜》(1985)
釜を真っ赤な着物の裏地でつつんだ!

現で表す作品を作っています。

前衛と日常、社会風刺とユーモア、日本と世界を行き来しながら作品を発展させた桂は、当時あったコラージュやスカルプチャーなどあらゆる手法を数々取り込んでいきつつも、全くの模倣というわけではなく、着実に自分のものにしていきました。現在、桂が女流前衛画家の先駆者と言われて高い評価を受けているのは、納得です。

桂のその後の前衛への影響

桂ゆきは戦前から戦後にかけて、美術の表現がどんどん変わっていく歴史を体感しています。体感したうえで、その動きを無意識なのか意図的なのか、結果的に取り入れつつも、同じ表現を繰り返さなかった人でした。

美術の歴史は、後から名前がつくことがほとんどです。桂ゆきは、そんな前衛美術やコラージュといった

名前が日本に定着する前から、手探りし、恐れずに挑戦してきた作家でしょう。このように**挑戦し続けてきた人たちがいたおかげで、今、私たちは面白い作品を見ることができています。**とてもありがたいことですよね。感謝！

日本にも変なことしてた人がいたんだな…
次からはもっとシンプルに変な人ラッシュだよ！

常識が揺らげば新しい世界が見える！
「21世紀のコペルニクス」

年代：1936〜2010　　出身地：日本

荒川《あらかわ》修作《しゅうさく》

戦後、芸術っぽくないものを芸術だと主張する運動が世界中で生まれていました。日本でも裸になってパフォーマンスをしたり、一見ただのゴミを作品だと主張したりするものが生まれ、芸術に反対するという意味で「反芸術」と呼ばれました。この時代に登場し、**芸術どころか「人は必ず死ぬ」という天命すらひっくり返そうとした**のが荒川修作です。

荒川修作＋マドリン・ギンズ《養老天命反転地》(1995)
でこぼこして歪んだ床や曲がりくねった回廊など、
歩き回ることで人間の平衡感覚や遠近感を
混乱させる仕掛けが施された広大な公園作品。

荒川修作＋マドリン・ギンズ《三鷹天命反転住宅》(2005)
「死なないための住宅」がコンセプト。
《養老天命反転地》のように身体の感覚を揺さぶる
あらゆる仕掛けに日常的に触れられるようにした！

「死」の天命もひっくり返す！

「目眩と混乱が未知の可能性を切り拓く！」美術道

これまでにも、たくさんの美術作家が美術の常識をひっくり返す様子をご紹介してきました。

例えば、この本の最初にご紹介をしたマルセル・デュシャンは男性用小便器と一緒に美術の意味をひっくり返しましたね。ヨーゼフ・ボイスによって美術で扱える範囲が社会そのものにまで広がったり、ポップ・アートの登場によって美術が日常生活に侵食したりと、人間や社会の可能性を探る美術の動きが世界的に勢いづいていることもご紹介しました。

物事の見方が大きく揺さぶられたときに新しい可能性は見えてくる。美術道はまさにそのような、「Aだ！」「いやBだ！」のカウンターの応酬で作られているような気がします。

そしてまさに**自身の作品を、「コペルニクスの21世紀版」と表現したのが荒川修作です**。コペルニクスは天動説の時代に地動説を発表して常識を１８０度ひっくり返した天文学者ですが、荒川も美術の範囲を超えて、人間と世界の常識に挑みます。

彼がひっくり返そうとしたのは、「人間は死ぬ」という天命でした。いやまったく、どういうことだと思ってしまいますよね。

荒川修作はアニメーション監督である宮崎駿や、第1章でも紹介していますデュシャン、オノ・ヨーコなどとも交流がありました。晩年はテレビ出演も増えていたので、美術に詳しくない方でも、名前を知っている方も多いかもしれませんね。

「人間は死なない！」というと、一見してとんでもないことを言っているようにも聞こえますが、この天命に挑むために彼は哲学的な言葉だけではなく、**実際に体感できる大規模な作品制作**を行います。

そうして生み出されたのが岐阜県養老町の《養老

天命反転地》（1995年）という死なないためのトレーニングをするテーマパークや、東京都三鷹市の《三鷹天命反転住宅》（2005年）という、死なないための集合住宅です。

荒川は作品のコンセプトを考えるだけでなく、「身体で感じる」「住んで日常的に感じる」という実感や身体への刺激を大切にしました。《養老天命反転地》も《天命反転住宅》も、歩き回ることで人間の平衡感覚や遠近感を混乱させる仕掛けがあちこちに施されています。

床は水平な部分がほとんどなく、でこぼこして歪んでいたり、曲がりくねった回廊があったりと、かなり変わった作りをしています。触れた感触も不思議で、土感でザラザラしていたかと思えば、ツルッとした部分もありますし、さらに色も、特徴的なものが使われています。

荒川は、「精神的・身体的な刺激を増やすような建物を設計すれば、人間の寿命を永遠に延ばすことができる」と言いました。

人間はバランスを崩したり、予期しない刺激を受けたりすると反射的に反応し、意識や感覚を向けたりして考え始めるようになります。そうやって、脳だけではなく、身体全体が考え続けることが大事だ、というのが荒川の考えだったようです。

人間は、真四角の刺激を受けない環境にいるから死んでしまうのだ！　予期しない刺激を受け続けることで、常に反応が起こるから死ななくなるのだ！　ということでしょうか。住みにくい工夫を施そうというのは、機能性、合理性に向かう現代建築のまさに真逆を行っていますね！

荒川のスゴイところ

多くの作家が芸術で人間の可能性を切り拓こうとしていました。荒川は、デュシャンのように意味を変えたり、物事の見方を変えたりするのは思考しか変えられていない！　と主張。物理学や生物学なども学びながら肉体も合わせて総合的に人間の可能性を切り拓こうとします。「死は時代遅れだ」「私は、死なないことに決めた」と言って、天命までひっくり返そうとしたのです！

「反芸術」の嵐の中で若年期を過ごす

荒川は「天命を反転させる」ことを目指しますが、「物事の見方をひっくり返す」動きは、荒川が作家として活動し始めた1950年代に大きなムーブメントになっていました。

デュシャンの《泉》が1917年に登場してから、「美術とは何だ？」と、それまでの美術のあり方を疑いにかかる動きが生まれます。

そこから発展して1950年代から1960年代

になると、第2章のポップ・アーティストたちのように、日用品を取り入れたり、美術館を離れたりと、**一見すると美術っぽくない作品がたくさん出てくるのです**。

今までの芸術をくつがえそうと芸術っぽくない作品が色々でてきた！
こんなの芸術じゃない！
世間の声
デュシャン
カプロー
TOMATO SOUP
ウォーホル

このムーブメント以降、高尚というイメージを持たれやすかった美術が、より日常生活に接近していきました。そして**芸術に反対するという意味で、「反芸術」と呼ばれ始めます**。なんだか響きがかっこいいですね。

この本では「美術」と「芸術」という言葉が出てきます。

「美術」というのは、主に絵画や彫刻などの、視覚的な美しさを扱う作品のことを指しています。英語でいう「アート（Art）」も「美術」と訳すことが多いです。

そして、「芸術」というのは、美術に加えて、音楽や演劇やデザイン、文芸など創作活動をまとめたものを指しています。

この項では「芸術」すべてをひっくり返そうとする「反芸術」という運動についてお話ししますので、「美術」と「芸術」という言葉が入り乱れて出てくるのですが、基本的に似た意味の言葉として使っていると思って読んでいただきたいと思います。

「反芸術」はなぜか世界中で同時多発的に似たようなテーマになって流行します。日本でも、新しい美術を目指す若い作家の間でどんどん盛り上がっていきました。

そして、その渦中に若い荒川修作もいました。この頃に荒川は「ネオ・ダダイズム・オルガナイザーズ」というグループに参加します。これは前衛美術作家たちで結

成されたグループで、反芸術を志す血気盛んなメンバーで構成されていました。

絵の具をつけたボクシンググローブでキャンバスを殴り絵画を作る篠原有司男《うしお》や、日本の前衛美術を牽引した赤瀬川原平などがいます。

そんな若者が当時こぞって出していたのが、「読売アンデパンダン展」という展覧会でした。「読売アンパン」という愛称でも呼ばれ、今でも根強いファンを持っています。

アンデパンダンはデュシャンの項でも登場しましたように、

《抗生物質と子宮にはさまれたアインシュタイン》
（1958-1959）

平等の精神で運営されていて、プロ・アマ問わず、誰でも出品料さえ払えば出品することのできる展覧会です。読売アンデパンダン展は反芸術を志す若い作家が作品を出すようになることで、荒れに荒れた伝説の展覧会になっていきました。

先述した赤瀬川原平は千円札を模写した作品や、梱包したままの絵画を展示しましたし、篠原有司男は壊れた彫刻作品に火をつけて針金で縛ったものを《こうなったら、やけくそだ！》（1959年）というタイトルを付けたりして出品しました。

何も知らずに「反芸術」の作品を見に行くと大変です！　ただ歯磨きをしていたり、排水管やガラクタに見えるようなものまでがたくさん並んでいたりするので、かなり驚くでしょう。

それを見て、**「こんなの芸術じゃない！」**と言うと、作家は嬉しそうに、**「これは〝反芸術〟です！　芸術じゃありません！」**と言う。そんな観客と作家のやりとりがあったかもしれません。

彼らの作った作品はいまだに日本美術史の中でも「こんなの美術じゃない！」と言われ続けていますが（本人たちもそう言っているのだから仕方ない）、日本の美術を大きく前進させる作品も多数生み出しました。**「こんなの美術じゃない！」を見つめれば見つめるほど、「美術とは何か」が見えてきたのです。**

盛り上がっているジャンルは玉石混交でいろんなものが出てくるものです。

荒川はアンデパンダン展に、木箱の棺桶の中にセメントの彫刻を入れた《棺桶》（1958～61年）と呼ばれるシリーズの作品を出品し始め、評判になります。薄暗い部屋に棺桶状の作品が並んでいて、鑑賞者はその蓋を開けて見るというような怖い作品でした。

日常に潜む「死」と出会うような作品で、評判を得ます。

荒川は、幼い頃に戦争を経験したとき「死にたくない」と強く思ったそうで、そこから「自分は永遠に生きてやろう」と考え始めたのだとか。

「総合的」な「死なない」芸術を目指す

荒川は1961年に渡米します。アメリカでは、あのデュシャンやオノ・ヨーコらと交流をして、そこからどんどん作風が進化し、哲学的に難解さも増したような図や幾何学形態を使った絵画作品を作り始めます。

デュシャンはそれまでの芸術を疑うような作品を作りましたが、**荒川も芸術や言葉や人間の持っている固定観念を丸ごと全部疑うような作品を作ります。**

ちなみに荒川は、デュシャンの《大ガラス》をオマージュした作品も作ったことがあり、デュシャンとは長い間親しくしていました。

アメリカでは生涯のパートナーになる詩人のマドリン・ギンズと出会い、それ以降は2人で共同制作を行うことになります。

荒川とマドリン・ギンズは人間が死ぬことを疑い、「人間は死なない」というテーマを掲げて、死なないための作品を作り続けました。そしてその規模が最大級になったのが、30年の構想の末に作られた岐阜県の《養老天命反転地》です。

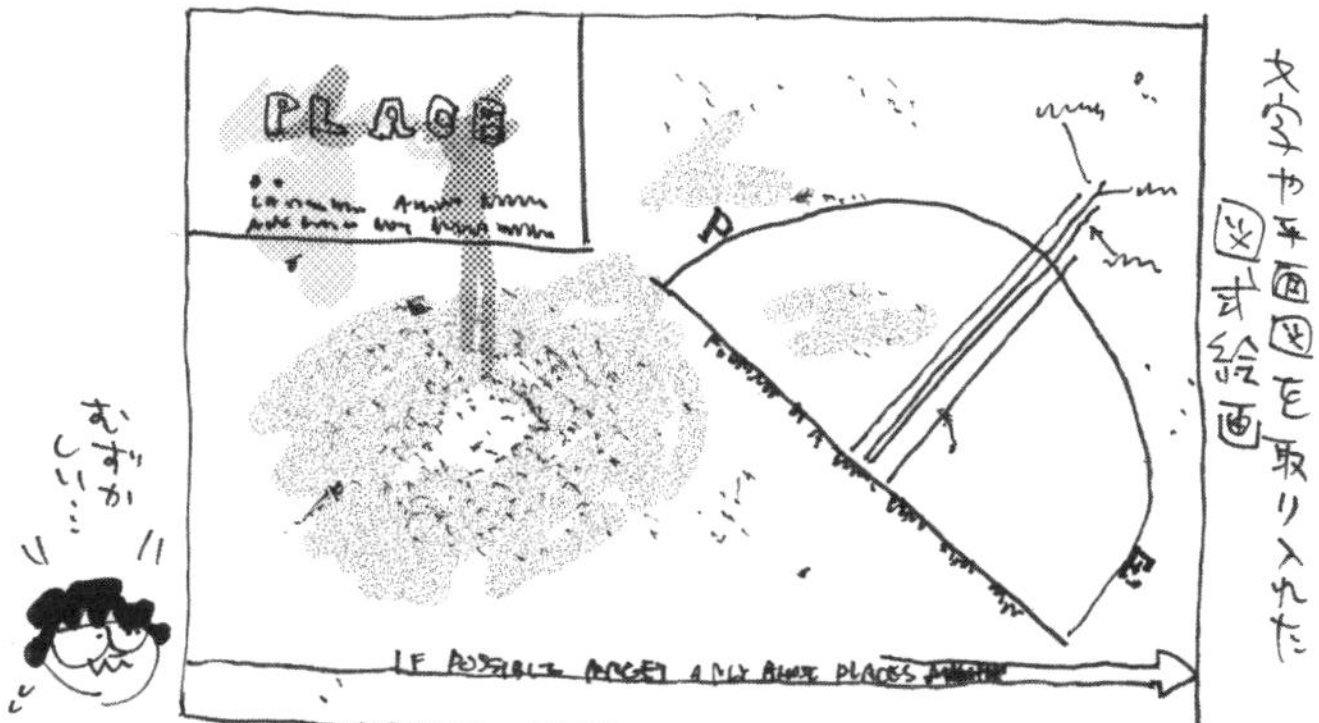
文字や平面図を取り入れた図式絵画
むずかしい…

《形態》(1970)

《養老天命反転地》は死なないためのトレーニングをする場所として作られたテーマパークで、歩く場所には平らなところがほとんどありません。雨天時などは足を滑らせたりしてしまうので注意が必要です。

普段、歩きやすい整備された便利な場所にいることで忘れてしまった自分の感覚を取り戻し、外に意識を開こうとする作品を作ろうとしたのです。

オープン当初は怪我人が続出したそうですが、本人は「思っていたよりは少なかった」と言ったそう。さすが、堂々としています。

余談ですが、宮崎駿は《養老天命反転地》に感銘を受けて、荒川と一緒に公園を作る計画まで立てていたとか。かなり仲がよかったそうです。

そして、最後に紹介するのが東京都三鷹市にある《三鷹天命反転住宅》です。

カラフルで派手な見た目の集合住宅で、実際に住むことができる作品です。賃貸住宅ですが一部は予約制で、見学したり泊まったりすることもできます。

日常と美術をつなげようとした反芸術の作家たちに囲まれて若い時代を過ごした荒川ですが、**三鷹の《天命反転住宅》では美術と日常をつなげるのを超えて、美術作品の建築の中で人が日常を過ごすことを実現させた**のです。

《天命反転住宅》の床はでこぼこになっていて壁はカラフル。家の中を移動するだけでも普段使わない筋肉をたくさん使うことになるのです。電気のスイッチがやたら高いところにあったり、立っての移動が難しい球体の部屋があったりします。ここで生まれて育った赤ちゃんは、でこぼこな床や、丸い部屋を歩き続けて、他の子供よりも早く土踏まずが発達したそうです。

「死なない」と言うと私たちは反射的に、「そんなの不可能」とどうしても思ってしまいがちです。でも、**一度その思い込みを外し、「死なない」という生物すべての大前提を覆すようなことを本気で考えたらどうなるでしょう。**他の、この世のすべての常識さえも、全部ひっくり返って見えてこないでしょうか。

荒川の作品を実際に体験して刺激を受けて、意識が外に開くと、それまでの思い込みから自由になれるのかもしれません。

荒川の力強い作品の中に飛び込めば、自分たちが気づいていないだけで、本当に死なない生き方があるのかもと思える瞬間があるはずです。意識が変わった瞬間、自分の世界が変わって見えることでしょう。

具体美術協会、通称「具体」で活躍する「美術の実験家！」

ピカピカ
ひぃー まぶしい！

田中《たなか》敦子《あつこ》

年代：1932～2005　　出身地：日本

高度経済成長期に、有り余るエネルギーをもって日本の美術は大盛り上がり。その中でもとくに存在感があり、海外でも注目されたのが具体美術協会という美術グループです。「**誰も見たことがないものを作れ**」というルールだけ掲げて結成されたグループで、ありとあらゆる美術の実験が行われていきます。その中でも評価が高かったのが、音や光を扱った田中敦子です。

リンリンリン
けっこう音でかい！

《ベル》(1955)
美術館中に置かれたベルが電子制御で、
１つずつ順番に鳴っていく！
電子制御を作品に取り入れた記念碑的作品！

えっ!?
感電のキケンがあるよ！

《電気服》(1956)
大量の電球と電線管が付いた服。もはや服と呼んでいいかわからない！　ピカピカ光って、感電の危険すらある電気服は、田中敦子の代名詞！

次は田中敦子に会いに行くよ
えっ「攻殻機動隊」とか「コナン」に出てる!?
それは同姓同名の声優だよ
ビガ
ビガ
彼女が作家の田中敦子!大量に電球をまとった電気服が代表作!
え…それ感電しませんか?
ビガ
するかもなので死を感じます
ビカ
死…
ビカ
彼女が所属していたのが「具体美術協会」です!世界でも超有名
具体のリーダー吉原治良です!協会のルールは「誰も見たことがないものを作れ!」
作品の評価は「ええか」「あかん」のみ!
かぐや姫の結婚条件みたいだ…
みたことないもんもってこい!
具体のイカレたメンバー!
イカレたメンバーを紹介するね
紙をやぶる!
紙を体でやぶる 村上三郎
足は手で描くより4倍パワー
ドッタ
ドッタ
足で描く人 白髪一雄
関わりたくないなあ
絵の具入りビンをなげつける嶋本昭三
中でも世界的に評価が高いのが田中敦子です
電気服から派生した電気絵画とかも有名かな!
《作品 1964》(1964)
オレも死を覚悟して作ったら有名になるのかな?
だからってバンジージャンプしながら絵描かなくても…
BUNGEE
ぎゃあああ死ぬううう!
ええ

人のマネはするな!

「誰も見たことない！音や光も服になる」美術道

次に出会ったのは**《電気服》（1956年）という、電球や電線管でできた服を着る作品を作った、田中敦子という作家**です。

先述した反芸術のムーブメントによって、1960年代の日本では、みんな少しやけっぱちな風もありながらも**高度経済成長によって生まれた有り余る**

具体美術協会！
だれもみたことがない作品をつくれ！
かんたんにいうけどさあ…
具体リーダー
吉原治良

エネルギーで日本の美術道を前へ前へと進めていきます。そのため、この頃の日本では、玉石混交たくさんの表現が生まれていきます。このようにあらゆる作品が生まれていった中でも、とくに抜きん出て「誰も見たことがない作品を作ろう！」としたのが、「**具体美術協会**」というグループでした。

彼らはとにかく、**誰も見たことがない作品を作る**というルールだけを掲げて活動します。そしてメンバーたちは本当に、誰も見たことがないような新しい作品を続々と作ってしまったのです。

具体美術協会は「具体」という呼ばれ方で世界でも高く評価されているのですが、その中でもとくに個人での評価が高いのが田中です。**田中は、音や光といった、電子制御が必要な作品を作り、この分野では日本の第一人者とされた人です。**

田中のスゴイところ

高度経済成長期に、有り余るエネルギーをもって、「誰も見たことがないものを作れ」というルールを掲げてひときわ目立っていたのが「具体美術協会」。その中でも田中は、音や光を扱いながらそれを身にまとえる作品にすることで、彫刻、ファッション、パフォーマンスの垣根を1つの作品で越えようとしました。

田中、具体美術協会と出会う

田中は1932年に大阪府大阪市で生まれます。51年に今の京都市立芸術大学に入学しますが、すぐに中退します。53年には病気で入院することになりますが、早く退院したいと思って、退院の日が書かれたカレンダーにクレヨンで数字を縁取ったりしていたところ、これは作品になるんじゃないかと思い、《カレンダー》（1954年）という作品を作ります。

そして、1954年に兵庫県で「具体美術協会」という美術グループが結成され、このグループに入ることになったことが、田中の美術人生にとっての転機になりました。

「具体美術協会」は略して「具体」と言われていて、日本美術史上ものすごく影響力がある美術グループです。具体のリーダーである吉原《よしはら》治良《じろう》は実業家で、専業の美術家ではありませんでした。そんな彼がグループメンバーに求めることはすごくシンプルでした。「**従来なかったものを作り出せ！**」ただそれだけです。そういう指針で、とにかくオリジナリティをメンバーに追求させました。

《カレンダー》
(1954)
早く退院したい…

ここで、具体の変人メンバーを紹介しましょう。

　紙を突き破るパフォーマンスをする村上三郎！　足や体全体で絵を描く白髪《しらが》一雄！（手の4倍のパワーがある足で描く絵は4倍パワーがあるそうです。実物を見ると納得します）。ガラスに入った絵の具をキャンバスにたたき付けて絵を描く嶋本昭三《しまもとしょうぞう》！などなど。

具体の変人たち（抜粋）
紙をたくさんつきやぶる村上三郎
バリバリバリ
足で描いた
白髪一雄
ラジコンカーに絵を描かせる金山明
ウィーン
より、人の手で描かない絵！
手よりカのある足で描くからより強い絵になる。
変な人たち…
ねっ！みたことないでしょ

当時、彼らは売名のために変なことをしているだけだと、評論家からは無視されていましたが、今では世界に名だたる「GUTAI」になっています。**実は売名行為こそ、誰よりも真面目にやっていた**のです。日英2カ国語の『具体』という自分たちを紹介する機関誌を作って広報活動するほどでした。ジャクソン・ポロックもこの機関誌を持っていたくらい当時海外でも人気だったそうで、日本にやばい奴らがいると、もっぱら評判になっていたそうです。**さすが実業家がリーダーなだけあって戦略的。**もし彼らが今の時代に生きていたら、SNSをフル活用したのでしょう。

世界をつなぐのは郵便の時代！
これおもしろいよな！
今ならネット！
GUTAI
ポロックも持っていた機関誌『GUTAI』

ピカピカ光る！田中の電気服

　具体で今までにない作品を作ろうと取り組んだ田中敦子は、1955年には《ベル》という作品を作ります。**大量のベルがコードでつながっていて美術館中に張り巡らされていました**。これらはすべて電子制御されていて、1つを鳴らすと順番にすべてのベルが鳴っていくというもの。

　どんどん遠くで鳴っていくベルの音が空間中に充満するのも面白いのですが、そもそも電子制御で作品を作ること自体が珍しい時代だったので評判を得ます。

《ベル》(1955)

　そしてその次の年に

作った作品が、伝説の《電気服》（1956年）です。これは200個ほどもある電球と電線管で作られた服で、これを着て電気のスイッチを入れると、服に付いた電球がピカピカに光るというもの。

　この作品は服としてめちゃくちゃ重いらしく、さらにこれを着てスイッチを入れると感電の危険まであるということなので、死を予感する作品だと本人が言っていたくらいハラハラする作品です。

　この作品は誰も見たことがないインパクトはもちろんのこと、**彫刻やファッションやパフォーマンスの垣根を1つの作品で越えるとんでもない作品**として有名になりました。

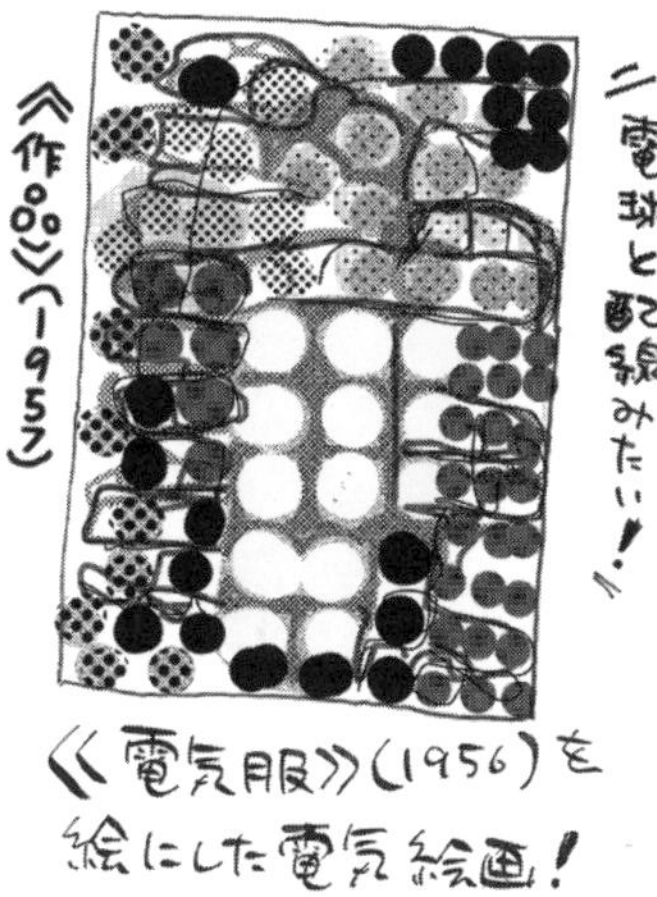
《作品》(1957)
電球と配線みたい！
《電気服》(1956)を絵にした電気絵画！

ちなみに、当時、街の看板はほとんどネオンでピカピカ光っていて、電気服はそこから着想を得たそうです。**彫刻であり服であり、さらには当時の日本の街を表した風景画のような作品だった**わけです。田中はこの電気服をモチーフにした絵画作品もたくさん作り続けます。

評価されるのに時間がかかった

こんなにすごい作品を作りましたが、田中は評価されるまでに長く時間がかかりました。今ではオノ・ヨーコ、草間彌生と並んで評価されているほどの大物ですが、評価がつくようになったのは２００５年の彼女の死後のことでした。それまでは具体美術協会というグループ自体があまりにもインパクトのある存在だったために、そのメンバー１人ひとりにはあまり目が向けられておらず、田中も具体にいた作家の１人、という評価が常だったのです。

死後の２００７年にはドイツの国際美術展「ドクメンタ」に出品されたり、２０１２年には東京都現代美術館で田中敦子の大回顧展が開催されました。

最近ではインターネットがあるので売れる人は生きているうちに見つかることが多いですが、田中はオノ・ヨーコや草間彌生と違ってずっと日本で活動していたので、世界に見つかるのが遅かったように思います。

皆さんももし、美術ではなくてもいいので、ものを作ったら、恥ずかしがらずに

バンバン発表したり、ネットに載せたりしてみるといいのかもしれません。私もSNSで漫画を見つけてもらえて、読んでもらえるようになりましたから。

今では田中は、日本美術を振り返る展示があったとしたら必ず名前が出てくるほどに影響力のある作家です。やはり一番インパクトがあって有名なのが《電気服》ですが、電気服をモチーフにした絵画作品もたくさん残っています。丸がたくさん描かれた画面に、コードのような線が張り巡らされた抽象画をいろんな美術館で見ることができます。

美術館に出かけた際には、ぜひ探してみてください!

何も作らずものだけある
「もの派」

年代：1936〜　　出身地：韓国

李《リ》 禹煥《ウファン》

彫刻というのは木を彫ったり、石を削ったりするものだと思いますよね。ですが、**自然にある彫刻の素材にほとんど何も手を加えず、そのまま作品として展示したのが「もの派」であり、李禹煥**でした。日本には、「自然に畏怖の念を抱く」など、自然から力を感じる思想がありますよね。**そのような考えで西洋から始まった美術を超えようとした**のです！

「関係項」シリーズ（1968頃〜）
ガラスと石、鉄と石といったほとんど未加工の、“もの”と“もの”とで構成された彫刻作品のシリーズ。彫刻の概念を変えた。

「点より」「線より」シリーズ（1973〜）
キャンバスに点や線が規則的に描かれた絵画作品のシリーズ。一発描きの緊張感のある画面に息を呑む。

「もの」そのものの力を作品に！

「〝もの〟そのものを感じる」美術道

次にご紹介するのは李禹煥です。彼は、**岩や鉄、木や土といった彫刻の素材をほとんど加工せずにそのまま作品にする、「ものを作らない」作家の代表選手**です。

「作家が主張もしないし作らない。何もしない。ものしかない」と揶揄《やゆ》されて「もの派」と呼ばれるようになったのですが、これがその後、世界的にも大きく評価されることになります。

これを読んだら、**何も作らなくていい、素材を置くだけでいいのならそれはとても楽そうだ！**　と考えて、「僕も『もの派』になろう」と考え出す人もいるかもしれません。今からする「もの派」の話を読んで、もし気に入ったらぜひ近くの山に行って、でっかい岩を手に入れて美術館まで転がしましょう！

さて、冗談はさておき、この本の最初に出てきたマルセル・デュシャンの《泉》も、小便器をそのまま作品として出したことで有名です。

ですから、「**もの派」はデュシャンのマネをしただけじゃないか**、と思う人もいるかもしれません。

実際、作品そのものよりも作家が考えるコンセプトのほうが大事だとする、デュシャンの《泉》

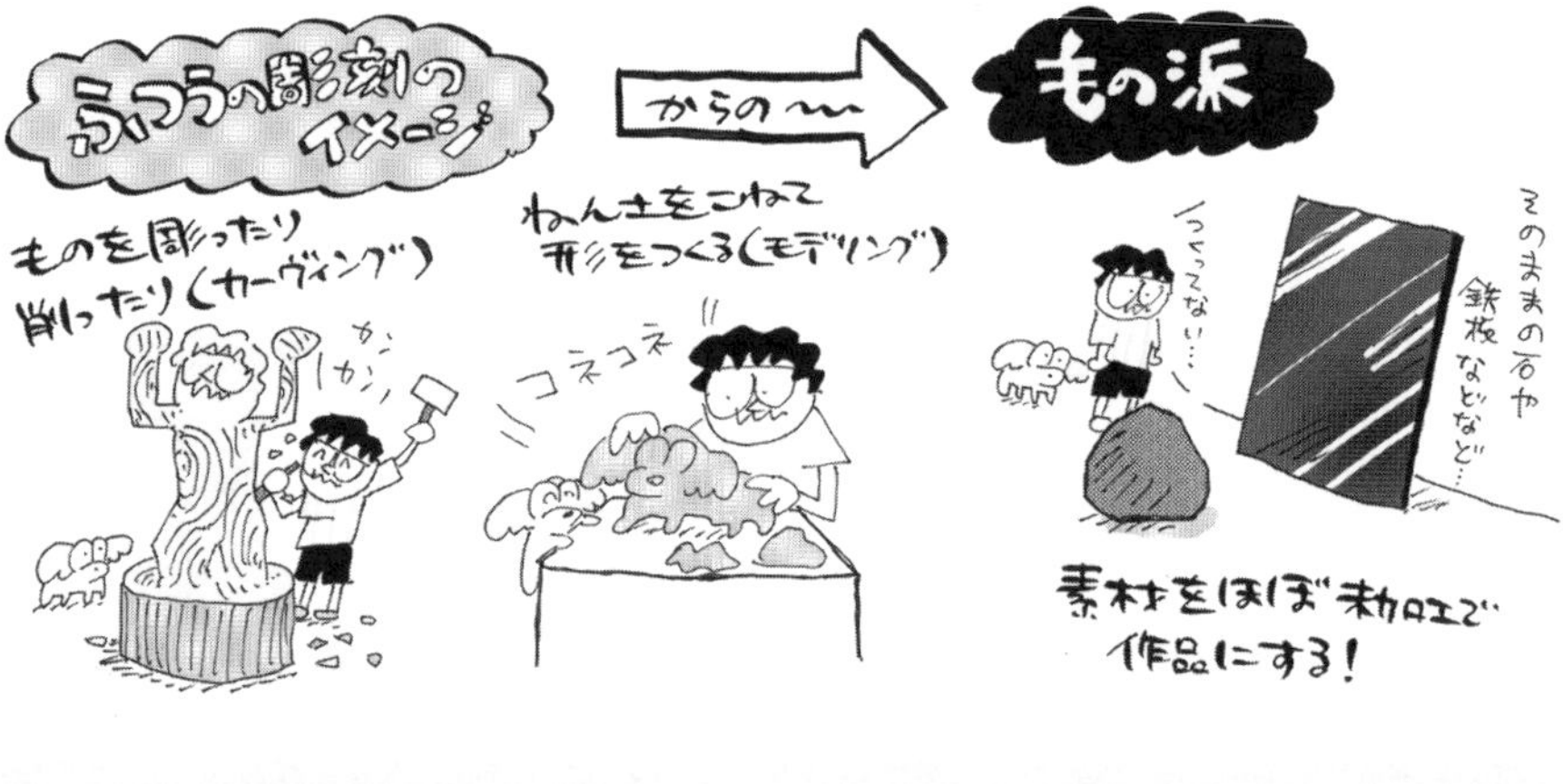
ふつうの彫刻のイメージ
からの〜
もの派
ものを彫ったり削ったり（カーヴィング）
カン カン
ねんどをこねて形をつくる（モデリング）
コネコネ
つくってない！…
そのままの石や鉄板などなど…
素材をほぼ未加工で作品にする！

から派生した「**コンセプチュアル・アート**」と、「もの派」が出てきた時期はかぶっているので、**もの派もコンセプチュアル・アートの仲間だと誤解されがち**です。

けれど、李を含め、たくさんいる「**もの派**」**と呼ばれた作家たちにとっては、作家の考えたことより、作品自体のほうが大事**でした。

コンセプチュアル・アートの人たちは逆で、考えたコンセプトを表すのが作品ですから、極論、アイデアが固まった後の「もの」はそこまで重要ではなかったのでした。デュシャンの《泉》も作品としての現物は残っていませんからね。

「もの派」の作家たちが飾るのは、人工物の既製品ではありませんでした。それは、**何百年何千年もかけて自然によって作られた岩や木だったのです。**これらの素材をそのまま展示することで、その**素材が持つエネルギーをそのまま感じさせよう**としました。

デュシャンの《泉》を見ると、不敵に笑うデュシャンの顔が思い浮かんでくる気がしないでしょうか。作家と作品がしっかり結び付いているのです。しかし、**もの派の人たちは、それを見ても作った人が思い浮かばない、まるで最初からそこにあったかのような作品を作ろうとしたのです。**

李の作品シリーズの「関係項」（１９６８年頃～）の中には、割れたガラスの上に岩が乗っている作品があります。

これを見た人は、「誰が作ったのだろう？」と思うよりも、

ステンレスのアーチに巨大な岩
実物の迫力がすごい!
見ないとわからないよね!
《関係項－アーチ》(2022)

「ある日、急にガラスの上に岩が降ってきたのか」というように感じるでしょう。

実物の作品を見ると、作品から音が聞こえそうな緊張感があって、ドキドキすると思います。**作品を見た人は、そこに置いてある「もの」からいろんなことを感じ取るのです。**

もの派の人たちの作品にはいろいろあるので一概には言えないのですが、特徴を示すとしたら、

①〝もの〟をそのまま展示するだけではなく、〝もの〟によって空間を開こうとする！

②作家の考えを超えた世界に連れていってくれるような作品を作る！　ものがコンセプト（作家の考え）を超えないとダメ！

でしょうか。

ですから、「感じるな、考えろ！」ではなくて、「感じろ！　それと考えろ！」の作品と言えるかもしれません。

李のスゴイところ

日本には、「人は自然に畏怖の念を抱く」「人は自然を制御しきれない」と考える思想があります。山や自然にある岩などを作品に使うことで自然の力を利用し、**大地に根付く考えによって、西洋から始まった美術のムーブメントを超えようとしました。**

李、目で見えるものを疑う作品に興味を抱く

当時の日本で、どのような経緯があって「もの派」のような作品が誕生したのでしょうか。

李は1936年に韓国で生まれました。子供の頃から絵や書道を習っていましたが、とくに植物採集に凝っていたそうです。また、高校生の頃には図書クラブを作ってずっと本を読んでいる文学少年だったそう。彼は自分で書いた小説を文学賞に応募していま

した。1956年にはソウルの美術大学に入りましたが、横浜に親戚のおじさんが住んでおり、そのつてで日本に来て日本語を勉強して日本大学の哲学科に入ります。

ここまで見ても美術、植物、文学、哲学とかなりいろいろなことに興味を持ってやっています。けれど、このすべてが後々彼の創作活動に生きてくるのです。なんでもやってみることは大事なのですね。

1960年代には、第1章や第2章で書いたように、いろいろな美術の運動が起こり、彼もこの影響を受けます。とくによくオプ・アートと呼ばれる**オプティカル・アート**という流行に影響を受けました。オプティカル・アートは、視ることを怪しむ視覚的・光学的美術と呼ばれるものです。

オプティカル・アートの作家たちは、幾何学模様や色の並びによって、目や脳に錯覚を起こさせるような

美術を生み出していました。皆さんも、渦巻のイラストがよく見るとくるくる回って見えるような目の錯覚などを体験したことはありませんか？　**ものすごく俗っぽく説明すれば、平面なのに飛び出して見えるトリック・アートに近いかもしれません。**

李はこういった作品に影響を受け

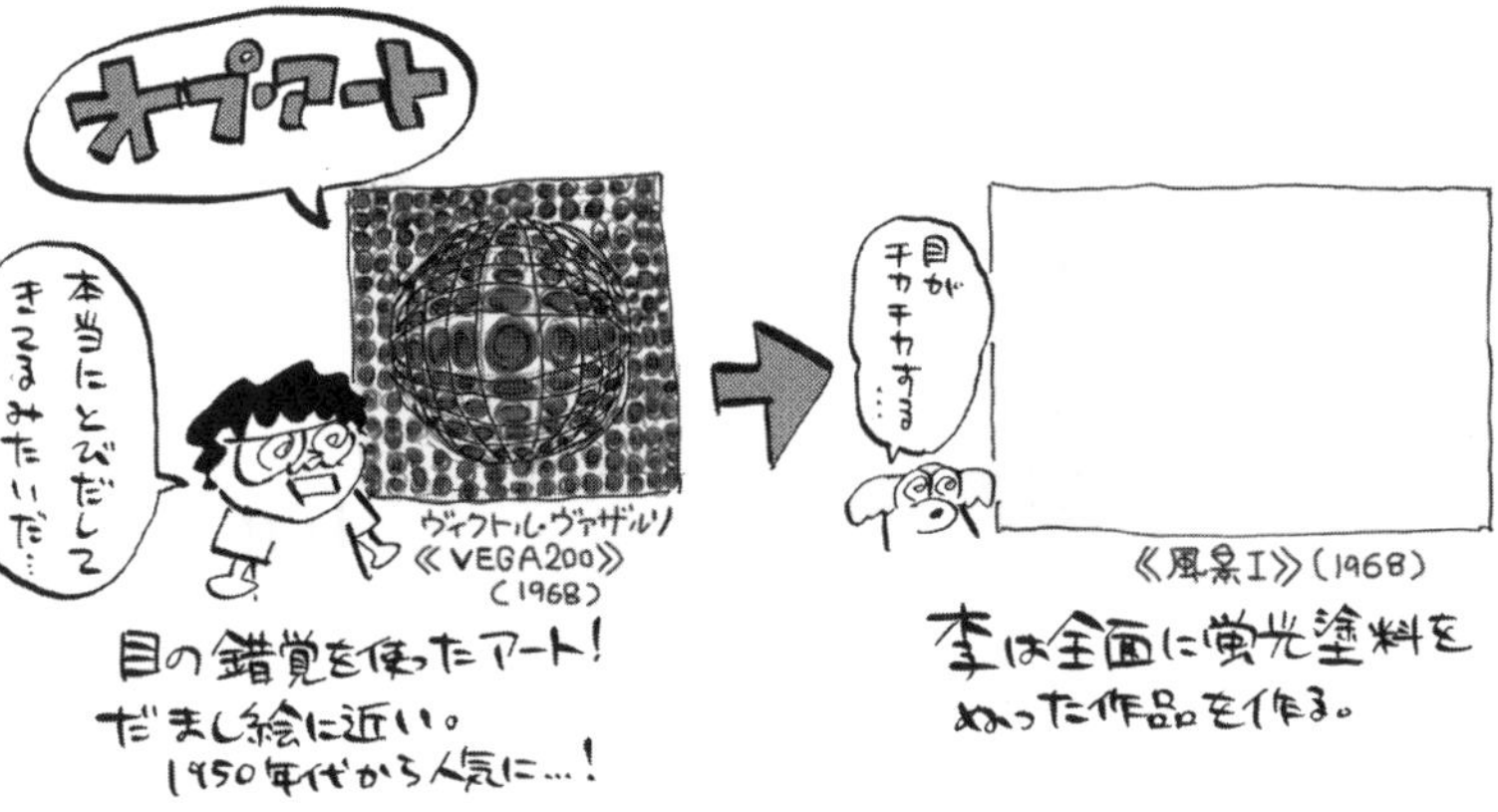
オプアート
本当にとびだしてきてるみたいだ…
ヴィクトル・ヴァザルリ
《VEGA200》
(1968)
目の錯覚を使ったアート！
だまし絵に近い。
1950年代から人気に…！
目がチカチカする…
《風景I》(1968)
李は全面に蛍光塗料をぬった作品を作る。

て、キャンバス全面にピンクの蛍光塗料を塗って、見る人の目にハレーションを起こすような絵を描いたり、メビウスの輪を平面に描いたりしていました。

とにかく**目が「これは何だ？」と疑ってしまうような作品を求めていた**のでした。

60年代は、それまで見ていた政治が信じられなくなって、若者が新しい時代を作ろうと社会運動をしていた時代です。李はこのような時代に、**目で見えている政治も美術も疑おうとしていた**のでした。

関根伸夫がすごい！ 李、もの派になる

そうやって作品を作っていた李ですが、１９６８年に関根伸夫が作った《位相―大地》という作品を見て、とてつもない衝撃を受けます。

この作品は、地面に深さ２・７メートル、直径２・２メートルの円柱形の穴を掘って、掘るときに出た土で、その穴と同じ形の円柱形を穴の隣に作るという作品

でした。**まるで大地が引っこ抜かれたように見える作品**に李は興奮しました。トリックのようです。

とにかく作品が圧倒的でドキドキした李は、当時別にたいして仲もよくなかった関根伸夫に、その作品を褒めちぎる文章を書いて送ります。

李は小さい頃文学少年で、哲学を勉強していたこともあったため、とにかく文章に強かったのです。彼は、要約すると次のようなことを書きました。「それまで観念的（コンセプチュアル）な作品を作る人の作品は、**作家が考えたことを実現するための作品だった。**しかし、関根くんの作品は、『もの』に合わせて、自分の体を使い働きかけ、さらに自分の考えを表した！　本当にすごい作品だ！」

李は、コンセプチュアル・アートの弱点を見抜いていたのです。**コンセプチュアル・アートは、作品のコンセプトが重要。つまり、作品（もの）が作家の思考を超えることはない、と言いました。**

そして李はこの弱点を、自然そのものが持つエネルギーを作品として利用することで乗り越えようとし始めるのです。たしかにアジアには、「人は自然に畏怖の念を抱く」「人は自然を制御しきれない」と考える思想があります。

このようなアジアに古くからある考えで、西洋から始まった美術のムーブメントを超えようとしました。

李、抽象表現主義の影響を受け大きな絵を描き始める

ずっと彫刻作品の制作に熱中していた李ですが、ニューヨークで見たバーネット・ニューマ

ドーン！
これは絵なのか？
バーネット・ニューマン
《アンナの光》(1968)

ンという作家の作品に衝撃を受けます。

バーネット・ニューマンは抽象表現主義の作家で、没入感のある大きいキャンバスに色を一色で塗ったような作品を作りました。

李禹煥にとってこの表現方法は、大きさも相まって絵の具という物質が迫ってくるように思えたのです。

草間彌生の項でも触れましたが、抽象表現主義の画家の作品は大体、ものすごく大きいのです。絵の具がそのまま塗られているようなものが多いので、何かが描いてある絵というよりは、**「でかいキャンバスと盛り盛りの絵の具」**というふうに見えます。

もの派が、そのままの素材を作品にして、これを感じてドキドキワクワクしていたことに近いことを絵でやっていたのでしょう。この影響を受け、李もまた絵を描き始めます。

李は最初、大きな画面に点や線を繰り返し描いて全画面を覆うという、抽象表現主義らしい作品を作っていました。

けれど次第に、**李の絵の中にはどんどん余白が出てくるようになります。**

最終的には、絵の具を1カ所に厚く盛るだけになっていきます。李が広い空間の中に岩を1つだけ置いて、すべての空間に響き渡る作品を作ったように、**大きなキャンバスに絵の具を岩のように盛るだけで画面全部を開く作品を作った**のです。

ついにはキャンバスではなくて、美術館の壁に絵の具を1カ所盛るだけで全空間を響かせる《対話―ウォールペインティング》（2022年）という作品まで作ってしまいます。
「もの」の持つ力をずっと信じていたからできる技なのでしょう。

アンダーグラウンドに伸びる「反インテリ演劇家」

寺山《てらやま》 修司《しゅうじ》

年代：1935～1983　出身地：日本

1920年頃、ヨーロッパの演劇が日本に持ち込まれ流行するも、海外の教養を理解していないと楽しめないものも多くありました。これに対抗するために**日本の演劇を取り戻すべく立ち上がった1人が、寺山**です。寺山は「反インテリ」を掲げ、日本に昔からある「見世物小屋」など、**日本が忘れようとしてきた日本の姿を扱う「アンダーグラウンド劇」を公演**します！

劇団「天井桟敷」（1967～1983）
寺山を中心に結成された劇団。演劇実験室を名乗り、それまで見たことがない怪しい世界観の劇を作った。寺山の死と同時に解散。

市街劇《ノック》（1975）
杉並区の街を劇場に見立て、いたる場所で同時多発的に演劇を行った。地図を頼りにお客は鑑賞する。演劇と日常の境目を曖昧にした！

日本の「アングラ」を忘れない

「反インテリ！ 見世物小屋」演劇美術道

次にご紹介するのは、**当時ヨーロッパ化が進んでいた演劇のメインストリートから、日本独自の演劇を目指そうとしてアンダーグラウンドへと道を伸ばした寺山修司**です。

もしかすると、「え？ 演劇の人なのになんで美術道にいるの？」と思う人もいるかもしれません。しかし彼の作品は美術作家に大きな影響を与え、また彼自身も当時の美術作品に影響を受けていたため、美術と関わりが深いのです。**美術は音楽も演劇も取り入れて、どんどん垣根を曖昧にしていきます。日本で美術と演劇を深く結び付けて独自の発展を試みようとしたのが、寺山なのです。**

1920年くらいまでは日本で演劇と言えば、それは「歌舞伎」などを指す言葉でした。それが1920年代半ば頃から、日本にヨーロッパの劇を翻訳・輸入したものを上演する人たちが現れます。

当時のヨーロッパの劇は役者に、まるで私たちの日常の中でもそう振る舞っているような、自然な演技を追求させました。悲しいシーンでは舞台上の役者が本当に泣く、役になりきる、ということです。

今では演劇で役者が自然な演技をするのは当たり前のように思えますよね。けれど先ほどお伝えしたように、当時の日本では演劇と言えば歌舞伎などが一般的。歌舞伎はもともと舞踏から始まったものですから音楽や踊りがありますし、「型」もあります。これに対して、ヨーロッパの劇は、**日常的な風景をそのまま舞台上に持ち込むことで日本にあった「劇」のイメージを塗り替えていきます。**

ヨーロッパ風の劇は、新しい劇と書いて「新劇」と呼ばれました。新劇は日本にそれまで根付いていた演劇のイメージをひっくり返すほどの爆発的な人気を呼びます。演劇と言えばヨーロッパのシェークスピアやチェーホフが思い浮かぶのは、この時期に持ち込まれたものだったからでしょう。

日本の演劇は海外の教養がどんどん取り入れられて、インテリ化します。そして、その風潮に反発するように、1960年代にはそういったヨーロッパ風の「新劇」から抜け出して、日本独自の演劇を作ろうとする人たちが現れます。先ほど荒川修作の項でお伝えしたように、「反芸術」を掲げる人たちが日本で古くから定着している思想をテーマにしたり、美術館以外の場所で展示をしたりしていたのと同じ時期です。**「新劇」から抜け出そうとした当時の演劇人も日本の文化をテーマにしたり、劇場以外の場所で公演をしたりしました。**そしてその動きの中にいた天才が寺山修司でした。

寺山らが作る劇は自然な演技をするヨーロッパの劇とは違い、昔からの日本的なおどろおどろしい怪しさがあったことから「地下の劇」だと言われ、アンダーグラウンド（地下）演劇、略して「アングラ劇」と呼ばれました。

寺山のスゴイところ

当時、日本の演劇では、ヨーロッパから持ち込まれた劇のスタイルが流行。それに伴い、ヨーロッパの教養がどんどん取り入れられてインテリ化が加速していました。寺山は、日本人の観客がもっと気楽に楽しめる演劇を、日本に昔から根付いていた「見世物小屋」などのテーマを盛り込むことで生み出そうとしました。

タブーにどんどん踏み込む まるで「見世物小屋劇」

昭和の大スター、寺山はどのように誕生したのでしょうか。彼は1935年に青森県で生まれます。この青森で育った少年時代に彼が出会った「見世物小屋」が、後に彼が作る演劇に大きな影響を与えました。見世物小屋は、昔のお祭りのときによく見られたもので、**様子の変な人や、不気味なお化けに扮《ふん》した演者がお客さんに「見られる」もの**。ときに身体に障害を持った人など、立場の弱い人が観客に「見られる」ことも珍しくなく、**当時から批判があった怪しい雰囲気の興行でした。**

寺山はこの見世物小屋の雰囲気を演劇に持ち込みます。どういうことかと言うと、**ヨーロッパ風の「新劇」は役者が観客に立派な演技を「見せる」ように発展していくのに対して、日本にあった「見られる」演劇に注目したのです。**

彼は1967年の正月に劇団「天井桟敷《さじき》」を立ち上げます。第1回公演のタイトルが『青森県のせむし男』です。"せむし"という言葉は、今は差別用語となっており使われていません。ただ、ここでは作品名として使われた言葉をそのままご紹介させていただきます。

『青森県のせむし男』は、世間体のためにその子を捨てた母親と子の歪《ゆが》んだ愛情のお話です。劇の中では矢継ぎ早に、かつて見世物小屋に出演していたようなおどろおどろしい見た目をした役者が出てきます。**見世物小屋をそのまま舞台に上げたかのような内容でした。**

観客は度肝を抜かれます。だって親から見ちゃいけないと言われたものばかり出てくるのですから。

寺山の母親が異様に息子を溺愛していたことも影響してか、彼の作中では歪んだ親子の愛情もかなりたくさん出てきます。『身毒丸《しんとくまる》』という作品の中では、親子の性愛の近親相姦《そうかん》について書きました。**寺山はそれまでの劇ではタブー視されていたテーマにどんどん踏み込んでいきます。**

観客は今までに見たことがないような世界観に興奮しました。

市街を巻き込んで劇を行う！『ノック』

彼はテーマだけではなく、手法でも新しい演劇の姿を模索します。1975年に市街劇の『ノック』を上演するのですが、市街劇というのは劇場ではなく街中で上演する劇のことです。『ノック』で寺山は、**日常

と演劇の境目を曖昧にしようとしました。**

『ノック』のあらましはこのようなものです。観客はまず、5、6人のグループになってJRの阿佐ヶ谷《あさがや》駅に集合します。そこで地図をもらい、役者が案内人として1人グループに加わります。役者と一緒に観客が地図にあるさまざまな場所を訪れ、そこで劇を体験するというものです。

ちなみにこの劇は全部体験するのに30時間かかったそうです。30時間の劇なんて聞いたことがありません。例えば、行った先が銭湯なら、そこへ行き案内人の指示通りみんなで体を洗い合ったりしました。**他のお客さんもいる銭湯の中で演劇としての銭湯を体験すると、これは日常の一部なのか演劇としての演技なのかわからなくなり、頭が混乱してくるわけです。**

あるときには、案内人が観客を連れて、アパートの部屋をノックしに行きます。そして案内人は、アパートから出てきた人に「世界平和について語ろう！」とし

つこく話しかけるのですが、この出てきた人は役者ではない何も知らない一般人。当然、この怪しいグループを通報します。警察が来て逮捕されそうになるので、案内人は、「これは劇の一環で」と弁明するのです。

観客は、警察とのやり取りまでも演出かもしれないと思ってしまうので、現場はどんどん混乱していきます。

これが大問題になり、寺山は二度と市街劇をやることはありませんでした。しかし、**日常と芸術をつなげた先駆的な作品として、『ノック』は彼の代表作と語り継がれています。**

その手があったか!!
役者と通行人の区別がつかない…
アラン・カプロー →

寺山に関わった天才たちとその後への影響

寺山は「天井桟敷」という劇団を作りましたが、演劇は1人ではできない、大人数でのグループ作業ですから、この劇団には彼が引きつけた天才たちが集まっていました。

ポスターのデザインをしていた**横《よこ》尾《お》忠則《ただのり》**はとても有名ですね。有名な「アングラ劇」をイメージしようとすると、大体彼のポスターが選ばれます。横尾は「天井桟敷」に結成当時から参加していました。先述したように、アングラ劇には危ないイメージがついたので、彼のポスターにも危ないイメージがつきましたが、それが逆に怖いもの見たさの若者を次々と呼びました。

寺山はセンセーショナルでショッキングな内容の作品を作ったため、そのイメージだけで語られやすいのですが、今の日本にとっても大事なメッセージが彼の作品にはたくさん込められているように思います。

まず**寺山の作品の中には、日本が忘れようとしてきた日本の姿があります。**彼が大人になった後の日本は、経済成長によってどんどん新しい国になろうとしていました。**新しい国になるときに、それまでの古い文化を忘れようとするものです。**とくに日本は海外の文化をたくさん取り入れて、日本にそれまであった文化を上書きすることが多くありました。見世物小屋は、そうして誰にも見られなくなっていった文化の1つです。寺山は**これを舞台に上げて残そうとした**のです。

彼の作品の色あせることがないメッセージは、現代でも見ることができます。演劇は脚本があれば、何度でも新しく再演され続けるのがいいところです。今の

私たちも気が向けば寺山作品に会いに行けるのです！

でも本当は『ノック』を体験してみたいですね。

「わびさび」日本美術を倒す！
「アナーキーな大スター！」

岡本《おかもと》太郎《たろう》

年代：1911～1996　　出身地：日本

「人類の進歩と調和」がテーマの大阪万博で太古の縄文土器をモチーフにした《太陽の塔》を作るなど、**対極の考えをぶつける、アナーキーで反抗的、けれど熱狂的に支持された日本美術のスターが岡本太郎！**「縄文土器」を日本美術の始まりとする主張をし、わびさび一辺倒であった日本美術の考えを揺るがしました。

《明日の神話》(1969)　※イラストは部分

第五福竜丸の水爆事故をモチーフにした巨大壁画で縦5.5メートル、横30メートルもある。渋谷駅に恒久設置され誰でも見ることができる！

《太陽の塔》(1970)

1970年に開催された大阪万博のテーマ館として作られた建造物で高さが70メートルもある。

バババーン
次が《太陽の塔》で有名な岡本太郎！
あっ！岡本太郎は知ってる！
タローどうぼぉ
ぴょ〜ん
芸術は爆発だ!!
わーいおもしろ〜い
ケラケラ
ケラ
まってました〜!
パチパチ
もしや岡本太郎を一発ギャグの人だと思ってる？
パリで最先端美術を学んでいた！
《傷ましき腕》(1936年)
腕とリボン
岡本太郎は日本の前衛美術を引っ張りまくったんです
シュルレアリスムと抽象表現を1つの絵にしたのだ！
相反する要素や表現を1つの作品の中にぶちこむ対極主義
ムワーハハハ！
テレビにも出まくってたから面白おじさん扱いされてたけど
意外と理論派だったのか…
ボクのセンパイ！
研究もやってて縄文土器を日本美術の始まりとする論文を書いたのが私です！
ドキドキ
ドグウ
ドグウ
縄文土器に着想を得て大阪万博で《太陽の塔》を作った！
爆発どころかめちゃくちゃ考えてる人だった…
テレビでギャグやらずにもっと賢い感じで売ればよかったのに
芸術は爆発だッ!!
別にギャグのつもりじゃなかったけど、すごいウケてさ…
お茶の間〜
でも彼のおかげで美術ファンが増えた！
彼の哲学がつまった言葉だったけど、これが流行して芸術イコール「爆発」とか「変人」というイメージがついた。ぐぬぬ…
すっかり太郎にハマって彼の本まで読んでる！
太郎の本『今日の芸術』!
『芸術は、うまくあってはならない。きれいであってはならない。心地よくあってはならない』
これならオレでもできそうだ！
勇気はもらったみたいだね…

芸術は爆発だ！

「爆発と創造」美術道

次にご紹介するのは岡本太郎です。彼は言わずと知れた日本美術界のスター。「**芸術は爆発だ**」という印象的なキャッチフレーズをテレビで言って美術ファンの心をがっちりとつかんできます（先述したように、ここでは「芸術」と「美術」は同じものとして扱っていきます）。

しかし**あまりにキャッチーすぎるイメージが浸透し、実際、岡本太郎の何がすごかったかというのはあまり理解されていないように思います。**彼はいったい何を爆発させようとしたのでしょうか？

１９４０年代の日本の美術界は、いかにヨーロッパの最新の流行を取り入れるかに苦心していました。**岡本は、すでに評価されているものをそのまま受け入れるだけの美術界には全く希望を感じません。**

最新の美術をするということは、それまでとは全く違うものを生み出すことだというのが彼の考えでした。海外のものを取り入れてどんどん成長しようという日本の近代化の動きの中では、自分たちオリジナルの美術道を作るということができなくなっていたのです。

そして岡本は、日本の美術家たちの意識を変えるために作品制作だけでなく、本の出版やメディア露出などのさまざまな方法をとりました。**ヨーロッパの作家が作った道を後ろから追いかけるのではなく、自分自身で作ろうと言ったのが岡本太郎でした。**

岡本はパリに留学していたので、当時のヨーロッパ最新の美術には詳しかったのですが、海外の価値観を安易に受け取らず疑い続けたのです。

また、**岡本の功績に、日本美術としての「縄文土器」の発見**があります。彼は、それまで美術として扱われてこなかった縄文土器を美術だと主張しました。それまでの日本美術と言えば「わびさび」が起源だと言われていたのを覆して、全く違う起源を持った新しい日本美術を発見したのです。**それまでにあった日本人の美的価値観を破壊して、根底から揺るがしたのが岡本太郎です。**

岡本のスゴイところ

高度経済成長期を迎える日本は、海外のものをどんどん取り入れて発展しようとしていました。そのような潮流に疑問を抱き続けたのが岡本です。彼は海外の価値観を後追いするのではなく、日本独自の新しい美術を見つけようとしました。そして、それまで日本美術と言えば「わびさび」だったところに、「縄文土器」という新しい日本美術の源泉を見つけます！

日本人の美術的価値観を壊して新しい提案をしたのです。

岡本の若者時代

岡本の父親は当時、手塚治虫にも影響を与えたと言われていたほどの大人気漫画家の岡本一平《いっぺい》。母親は有名な小説家の岡本かの子という芸術一家の育ちでした。芸術家として知名度を上げ始めたときには、親の七光りだとも言われました。

岡本は20代の10年間、1930年から1940年までフランスのパリで過ごします。岡本は、そこで見たピカソの絵にとても感動して抽象絵画を描き始めました。けれど次第に岡本は、海外作家のマネではなくて自分にしかできない表現をしなければと模索し始めます。

模索のすえに《傷ましき腕》(1936年)という作品を作ります。これは、1枚の絵の中に抽象表現や具体的なモチーフの腕を混ぜ合わせた作品でした。1枚の絵の中でさまざまな表現様式を対決させるやり方が海外でも評価されます。合理的な抽象絵画と、非合理的なシュルレアリスムのどちらかを選ぶのではなく、どちらも勉強した太郎は2つの形式を1枚の絵の中でぶつけて対決させたのでした。

　これを岡本は「**対極主義**」と呼びました。対極主義は彼の一生の哲学にもなります。

　第二次世界大戦が始まると同時に岡本のパリでの生活は終わり、日本に兵隊に取られて帰国を余儀なくされますが、兵役を乗り越えて日本で活動を始めてから太郎は絶望しま

す。**基本的に日本にとって最新の美術はヨーロッパの最新の美術をマネすることになっていたのです。**

　ヨーロッパのマネをありがたがっている日本の美術界にぶち切れて、43歳のとき『今日の芸術』という本を出版。そこで彼は、すぐ海外を真似する日本のあり方を批判して、新しい芸術を作る方法を熱弁しました。その本の中にある有名な一節が、「はじめに」でも要約して説明した次の言葉です。

「**今日の芸術は、うまくあってはならない。きれいであってはならない。心地よくあってはならない**」

　うまくてきれいでここちよいもののほとんどは安心できる既視感のあるものであって、新しい芸術はそれまでの価値観を根底から揺るがすものなのだから、うまくてきれいでここちよいと思えるはずがない、と言ったのです。

　当時の芸術家はこぞってこれを読み、勇気づけられました。

縄文土器という日本美術の新たなルーツを発見！

日本独自の美術を模索して、岡本が見つけたのが縄文土器でした。それまで、日本美術のルーツと言えば「わびさび」に根差したものでした。しかし、このルーツとは別の美術的ルーツが日本にはある！　と主張したのが岡本太郎です。

岡本はパリの大学で民族学を勉強していました（めちゃくちゃインテリだったのです）。ですから岡本は、自分のルーツである日本文化についてもものすごく研究していました。

パリから帰ってきた後、日本美術を誇りに思っているという人たちが言う日本美のよさは「わびさび」ばかりに終始していることに腹が立ちます。

岡本は、**「わびさび」を疑うことなく、「わびさび」のほかにルーツがある可能性すら考えようとしない人たちだと腹を立てたのです。**

そのように腹立たしい思いを抱えていた岡本は、東京国立博物館で見た縄文土器に衝撃を受けます。当時、縄文土器は美術品ではなく、工芸品という扱いでした。けれど岡本は、それまでの日本美術の「わびさび」というイメージとはかけ離れた**炎のようにうねるたくましくて荒々しい縄文土器の造形に日本人が忘れている美的感性がある**と思ったのです。そして1952年に、縄文土器こそ日本美術の始まりだとする論文を発表しました。ここから日本中で縄文土器がブームになります。

岡本は、近代化するにつれて日本人が忘れてしまった、日本の土着的な文化をどんどん取材しました。とくに彼は日本の祭りを取材しました。岡

縄文土器が美術史に
でてくるのは太郎きっかけ！
それまでは工芸品
あつかいだった！

本にとって、近代化する前にあった土着的な祭りこそが、日本人が、人間が、生きる喜びを再確認する儀式であり、そして芸術はそこから生まれるものと考えていたのです。

古くからの祭りは、それまで蓄えていた食べ物や酒を日常ではありえない速度で消費して、それまでのモラルとはかけ離れた非日常を生み出すものでした。**日常時に抑えつけられていたエネルギーが爆発するのが祭り**でした。仮装をしたりして普段のおとなしい自分とは違う自分になり、食欲も性欲も爆発させたのです。

このように書くと、渋谷のハロウィンって古来の祭りに近く思えますね。実際に、民族学的には近い扱いをされているという話もあるそうです。

現代ではこういった欲望を解放する祭り的なものは迷惑なものとして扱われていますが、古来の祭りは全員で迷惑なことをしたので、誰も気にしていませんでした。「**踊る阿呆に見る阿呆！　同じ阿呆なら踊らにゃ損損！**」というやつです。

大阪万博《太陽の塔》誕生

１９７０年に日本で万国博覧会が開かれることになりました。いわゆる「大阪万博」です。「人類の進歩と調和」というテーマを掲げて、戦後大きく経済成長した日本の象徴として開かれることになりました。

この「人類の進歩と調和」というテーマ館のプロデューサーをやってくれないかという打診が岡本太郎に来るのですが、彼は悩みます。戦争中はたくさんの芸術家が国威発揚のための作品を作った歴史がありました。この反省により、戦後は国家イベントに力を貸すのは芸術家にとってタブー視されていたのです。そもそも岡本自身、大阪万博のテーマには反対でした。

けれど、「迷ったらより危険な選択肢を選ぶ」という岡本のポリシーが勝ち、プロデューサーを引き受けます。**彼はここで、万博を現代の祭りの場にしようと構想します**。そしてデザインした建造物が、かの有名な《太陽の塔》でした。

「人類の進歩と調和」というテーマなので、周りのパビリオンは近未来的な建物ばかり。これに対して岡本太郎は、「そんなものはくそ食らえだ！」と言わんばかりに石器時代の土器のようなデザインの《太陽の塔》を作ります。**周りに逆行したデザインを作り、建物内部には人類の成長をテーマにした《生命の樹》という彫刻を作りました。**下のほうにはアメーバがいて、恐竜や猿を経て、上に行くにつれて時代が進み、やがて人間も出てきます。

大阪万博！
屋根をつきやぶる！
キミらの言う人類の進歩と調和なんてウソっぱちだ！
真の調和はたたかいの中で生まれるのだ！
ドーン！
というわけで万博とたたかいました

けれど、未来に行くにつれて原爆や公害などのイメージも出てきて、**発展することは必ずしもいいことばかりではないというメッセージも込められました。**《太陽の塔》には3つの顔がついていて、それぞれ未来と過去と現在を見ていると言われていますが、どの顔も笑っていません。

万博に参加することは国家の片棒を担ぐことだと、岡本は猛批判されました。芸術家としての岡本太郎のイメージは、日本の美術界の中でどんどん悪くなっていき

《太陽の塔》内部
サル
マンモス
恐竜
魚類
アメーバ
上に行くほど進化する
人類の進化をめぐる展示！

ます。多くの美術家は万博の外から「反万博」を叫びました。**けれど内部から万博を否定して対決したのは岡本太郎だけでした。**

近未来を象徴した大阪万博のパビリオンの多くは取り壊されましたが、それを否定した《太陽の塔》だけはいまだに残されて、見ることができます。万博との対決に岡本は勝ったのだと私は思います。

岡本太郎、その後への影響

岡本太郎はその後、テレビ番組やメディアに積極的に出ます。１９８１年に日立マクセルのＣＭで言った「芸術は爆発だ」という言葉は流行語にもなりますが、ここで言う爆発とは、絵の具を爆発のようにぶちまけることではありません。**作家の精神の中でぶつかり合い、起こる爆発のことを言っています。**

岡本にとってはメディアに出ることも芸術を世間に

伝えるための活動でしたが、亡くなるまであまり理解されずにいました。周りの芸術家も岡本をキッチュな安っぽい存在として見るようになってしまいます。

けれど、そんな彼のイメージを、彼の死後に覆したのが、彼の秘書で養女だった岡本敏子でした（岡本太郎は結婚という制度を嫌っていたので養女になりましたが、実質的な妻でした）。

岡本太郎が出した本のほとんどは、彼が爆速で話したことを敏子が書き留めて生まれたものでした。岡本敏子は生前の住居を「岡本太郎記念館」として公開しました。この美術館で立ち上げた「岡本太郎賞」は、いまだに現代美術の登竜門的な美術賞として毎年盛り上がります。**今、岡本太郎がここまで取り沙汰されて評価されているのは、確実に敏子の功績なのです。**

今では岡本太郎は日本美術の顔になっています。とくに敏子のフィルターを通して伝わった彼の言葉はわかりやすくて明快で、美術を知らない人にも勇気を与えてくれます。かく言う私も、美術作家になろうとしたきっかけの1つは岡本太郎でした。美術の世界はわかりづらく不親切なこともたくさんあります。そんなとき、「芸術は爆発だ」というキャッチーな言葉がなかったら、そもそも興味を持てず、この世界に飛び込んでいなかったかもしれません。

私も最初は、「芸術は爆発だ」とは、作品自体を破壊的な作風にすることだと思っており、この言葉を勘違いして理解していました。けれど勘違いしたおかげで美術の世界に飛び込みました。

岡本は、面白いおじさん、というイメージで誤解されましたが、岡本自身は「誤解は美しい」と言ってとくに恐れていなかったそうです。

岡本太郎は戦うことを恐れませんでした。その結果、当時は誤解していた人たちも、岡本太郎ってすごかったんだなと改めて親しみを持って接しています。

長い時間はかかりましたが岡本太郎は、また対決に勝ったのです。

〈第3章 前衛美術道〉の特徴

日本の大衆文化や思想、風土と向き合うことで、西洋で発展する美術とは違った文脈を持つ、新しい美術を模索する動きがあります。

前衛と日常、日本と世界を行き来する!

桂ゆき

西洋美術の情報が少なかった当時の日本でコラージュの技法を発見するなど、**独自の感覚で手探りで新しい美術を切り拓いた。**

目眩《めまい》を起こせ! 混乱せよ!

荒川修作

新しい情報や感覚を身体に与えるなどして、**美術を超えて、人間そのものの可能性を切り拓こうとした。**

誰も見たことがない作品を作れ!

田中敦子

高度経済成長期、盛り上がる日本美術の中で、電気や光を服にするなど、実験的な作品を多く作り海外からも注目された。

“もの”そのもののエネルギーを感じ取れ!

李禹煥

人の手をほとんど加えず、**自然にあるものをそのまま作品にした。**「自然に畏怖の念を抱く」**アジアに古くからある発想**を取り入れた。

日本の見世物小屋を演劇に!

寺山修司

西洋演劇に対抗して生まれた、日本の見世物小屋的演劇! 日本が忘れようとしてきた日本の姿を映す、アングラ演劇を立ち上げた。

日本美術はわびさびだけじゃない!

岡本太郎

高度経済成長期、海外の価値観を追うばかりの日本美術に疑問を抱き、**日本ルーツの美術を模索。**縄文土器に日本美術の源泉を見つけた。

戦後日本の経済成長期、有り余るエネルギーが日本美術界にもありました。海外の価値観を後追いすることなく、日本の美術を考えようとする作家が活躍し過熱していきます。日本的な思想と向き合ったり、経済の成長過程で失われそうになる日本的なものと向き合うことで、「日本美術とは何か?」を追求しました。

第4章 おかしいのは社会か？ 作家か？

ソーシャル・アート道

正体不明！　社会を変える「アクティビストなアーティスト」

猿のマスクが…
トレードマーク！
にげろー!!

バンクシー

年代：不明　　出身地：不明

世界中にスプレーでグラフィティ（落書き）・アートを描く、正体不明の美術家がバンクシー！　**彼は紛争地帯や社会問題の渦中にある場所に赴いて作品を描きます。**彼の作品に込められたメッセージはわかりやすく、作風はキャッチーでアイコニックだったので、見つけた人たちが写真を撮ってＳＮＳに投稿し、**彼のメッセージはさらに世界中に広がっていきます。**

「花束を投げる男」シリーズ（2003〜）
暴徒のような男が花束を投げようとする様子が描かれている。暴力ではなく愛で世界を変えることを願って描かれた作品で、バンクシーの代表作。

「風船と少女」シリーズ（2002〜）
風船に手を伸ばして、今とは違う場所に行こうとする少女を描いたバンクシーの代表作。
たくさん作られ、いろいろなパターンが存在する。

落書きは、壁に向かう抵抗のサイン

「社会を変える、アクティビストな」美術道

第4章では、**美術の力で社会を変えようとした作家**をご紹介します。第3章までは1960〜80年代を中心に活躍した作家をご紹介してきましたが、この第4章は1980年代以降に活躍した作家が中心になります。

この時代の作家たちは第1章でご紹介したヨーゼフ・ボイスの「**美術で社会を作り変えよう**」という主張をベースに、美術を用いたあらゆる方法で、社会にアプローチを試みました。

美術は、戦争・貧困・教育・人権・自然保護など、社会的なメッセージとの結び付きを強めていきます。作家たちは時に街を荒らし、見る人を驚かせ、**あらゆる方法で世の注目を集めながら社会の是非を問いました。**

「おかしいのは社会か？　作家か？」これを読んでいるあなたも、ぜひ考えてみてください。第4章では、このように、美術で社会と関わりを持とうとした作家をご紹介します。

そんな第4章の最初にご紹介するのがバンクシーです。

バンクシーはアーティストでありつつ、社会を変えようと活動するアクティビストです。彼の作品は実際の紛争地帯に残された政治的なメッセージの強いものだったため、**社会運動のための作品**とも評されました。このような作家のことを、アーティストとアクティビストをもじって、「**アーティビスト**」と呼びます。

彼は美術を通じて社会的なメッセージを発信しようとしました。彼の手法は「グラフィティ・アート」と呼ばれる、路上にスプレーで落書きをするストリート・アートの1つです。**「グラフィティ」は日本語にすると「落書き」と訳されるもの**です。第2章のバスキアの項でも登場しましたね。

ここで、「路上にスプレーで落書きするなんて犯罪だ！ 社会に迷惑をかけるんじゃない！」と言いたくなる人もいるでしょう。路上に勝手にスプレーを塗布するグ

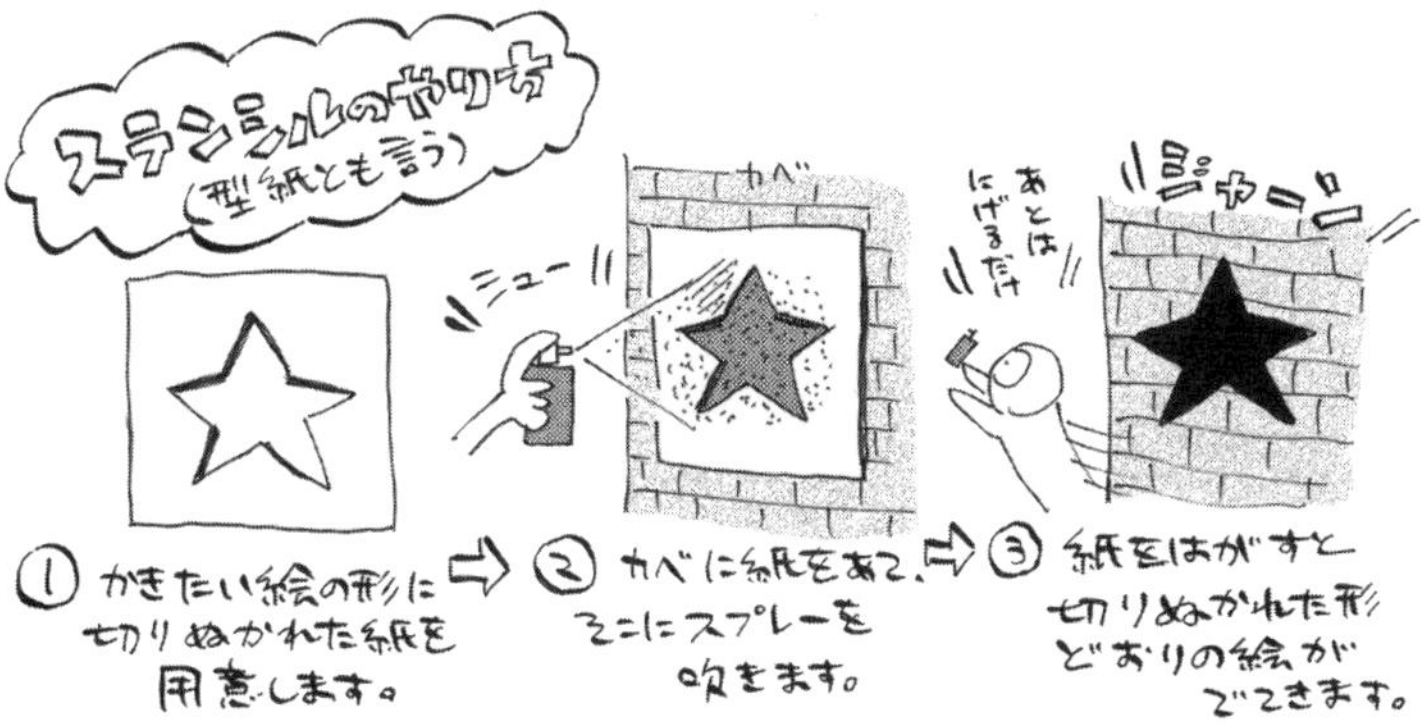

ステンシルのやり方
(型紙とも言う)
カベ
シュー
あとはにげるだけ
ジャーン
① かきたい絵の形に切りぬかれた紙を用意します。
② カベに紙をあて、そこにスプレーを吹きます。
③ 紙をはがすと切りぬかれた形どおりの絵ができます。

ラフィティ・アートは、ほとんどが器物損壊や不法侵入となる犯罪です。**バンクシーの作品も非合法なうえに、そのほとんどが皮肉を交えた社会批判です。**

さらにバンクシーは美術界からは扱いづらい立ち位置にいます。なぜかと言うと、彼は美術的評価よりも世の中にメッセージを届けることを優先した作家だったからです。彼の使う「ステンシル」という手法は、美術的評価が低い手法でした。ですが、路上で素早くかつクオリティの高い作品を描くためには最適の手法だったのです。

彼の使った「ステンシル」という技法は、あらかじめ文字や絵などをくり抜いた型を使い、そこにスプレーを吹きかけたりして転写するものです。素早く目的の造形を描けるものの、ステンシルは「転写」の技法なので、一から描くべしとされていたグラフィティ・アート界からは異端だったのです。

世間に対して反抗的な人というのは、セクシーな魅力

がただようものですよね。さらに、**彼はいまだ正体を明かしていない、素性不明の覆面アーティストでもあります**。謎めいたかっこよさと相まって、バンクシーの人気はどんどん高まりました。バスキアでも見たように、たとえ世が決めたルールや法から外れていたり、美術界に認められたりしなくとも、**実際に人々の心をつかんだ作家は絶大な影響力を持つ**のです。バンクシーはこの影響力を利用して、社会的なメッセージを発信している作家です。

バンクシーのスゴイところ

自身の人気すらも利用して、さらには美術的評価を得ることよりも人々にメッセージを届けることを優先して作品を描きました。彼の作品を見ようと思った人は、社会問題の渦中へ赴き、現実を目のあたりにすることになります。

バンクシーの「グラフィティ革命」

バンクシーは２０２３年９月現在もいまだに正体不明の覆面作家なので、彼の生い立ちについては不明ですが、彼は社会的なメッセージを発して有名になる前から、イギリスのグラフィティ・アーティストとして名が知られていました。それは、**「ステンシル」という技法を使っていた**ことにあります。

ステンシルは、先ほどもご紹介したように、絵の形にくり抜いた型紙を用意してそれを壁に貼り、スプレーを吹き付けることによって短時間でクオリティの高い絵を作ることができる技法

《吊るされた愛人》(2006)

です。グラフィティは犯罪なので、警察や建物の住民に見つからないように素早く描く必要がありました。素早く時間をかけずに描くのでクオリティの高い絵を描くのは難しく、見つかれば落書きとしてすぐに消されていたのです。そこで**バンクシーは、短時間でクオリティの高い絵を残すためにステンシルの技法をとったと言われています。**ステンシルを使った彼の落書きはクオリティが高いものでした。アパートに描かれた彼の落書きがあまりによくできていたので、住民投票で残すことが決まったことがあったくらいでした。

ですが、当時グラフィティの世界ではステンシルを使うことは御法度でした。「グラフィティはフリーハンドで描くもので、ステンシルで描くのはダサい！」とされていたのです。ステンシルを使うことでグラフィティ界からのけ者にされることすらありました。

ステンシルを使い始めたバンクシーはグラフィティの世界からは無視されるようになりますが、メッセージ性の

強い作品で世の中からの注目を集めるようになります。**バンクシーは当時のグラフィティ界からの評価をあまり気にしていなかったようで、それよりも自分のメッセージを伝えることを優先したのでした。**

バンクシー、パレスチナへ

彼のイメージを決定づけた作品は、パレスチナの分離壁に描かれたグラフィティの

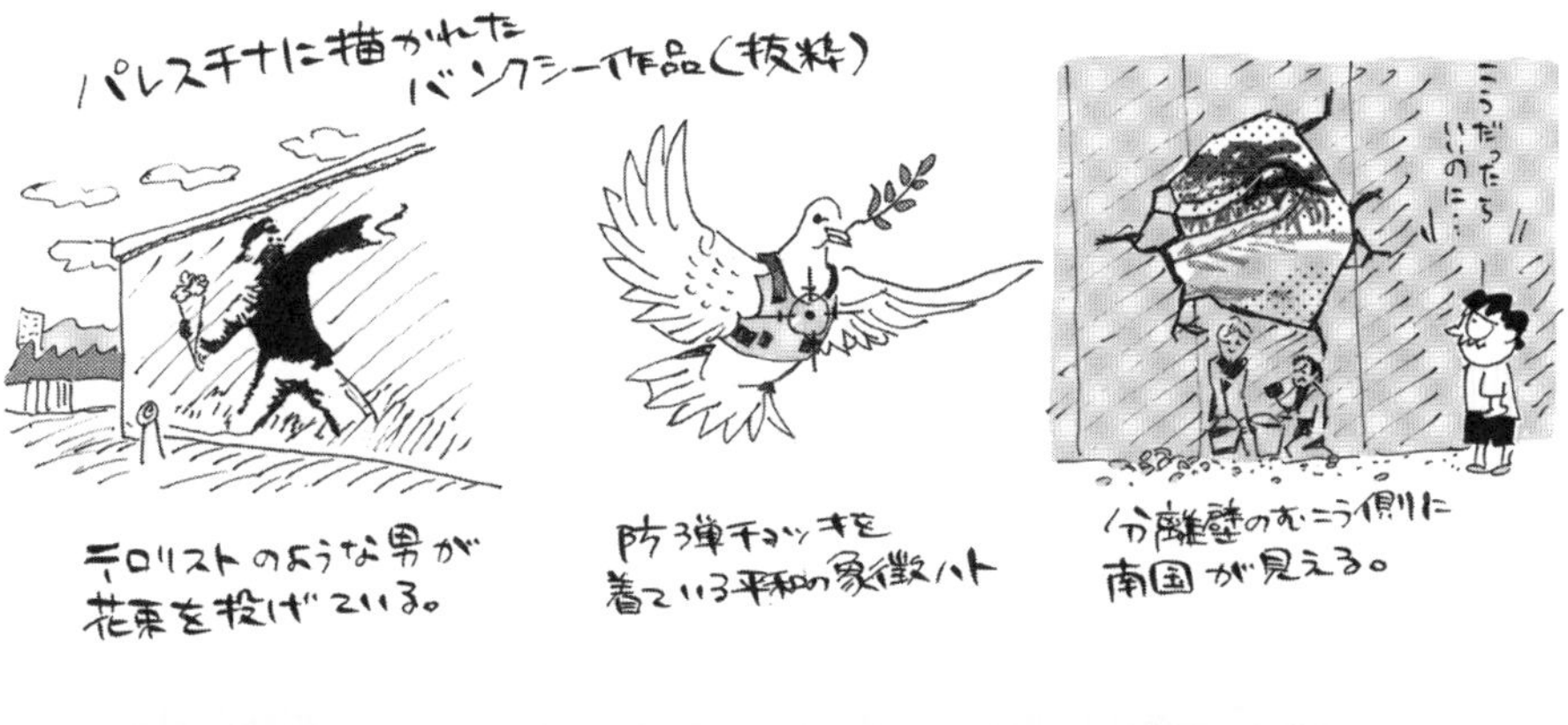
パレスチナに描かれたバンクシー作品（抜粋）
テロリストのような男が花束を投げている。
防弾チョッキを着ている平和の象徴ハト
こうだったらいいのに…
分離壁のむこう側に南国が見える。

シリーズでした。有名な「花束を投げる男」シリーズ（２００３年～）は、手榴弾の代わりに花束を投げるテロリストを描き、平和を訴えるものです。

この作品が描かれている分離壁は、対立を続けるイスラエルとパレスチナとの間に作られた巨大なコンクリート壁です。冷戦時代のベルリンの壁のように、両者の断絶の象徴となっています。壁を作り始めたのはイスラエル側でしたが、パレスチナの領土に食い込む形で建設したため領土の侵攻として火種となりました。国際法にも違反していると国連からも非難されていますが、イスラエルは今も壁の建設を続けています。

バンクシーはイスラエルの武力行使によるパレスチナ分離壁の問題に憤り、広く世に知らせるべきだと考えました。**当時は世界的にはこの問題にあまり関心が持たれていなかった**のです。彼はパレスチナを訪れて、分離壁や街の壁にグラフィティを描きます。彼のグラフィティのほとんどはパレスチナにあると言われているくらい、彼は多くの作品を残しました。

彼はパレスチナ分離壁の真正面にあるベツレヘムに「世界一眺めの悪いホテル」と呼ばれる《The Walled Off Hotel》（２０１７年）をオープンします。これは窓からの景色が分離壁で完全に遮断されているホテルです。実際に泊まることができ、彼の作品も見ることができます。美術ファンがバンクシーのホテルに泊まりたいがためにパレスチナを訪れると、分離壁の問題について考えることになります。

人々の意識を変えるための作品をあの手この手で作るのがバンクシーです。

東京でもバンクシー

日本でバンクシーが広く知られるようになったのは、東京オリンピック前の2019年に、東京で、バンクシーが描いたのではないかというネズミの絵が見つかったことがきっかけでした。小さなネズミの絵でしたが、もし本当にバンクシーの作品なら1000万円以上の価値があると大騒ぎになったのでした。

壁が切り取られて都庁で展示されるまでになって、ニュースでも取り上げられたので、日本で美術を知らない人にもバンクシーが知られるようになりました。**このとき描かれた傘を差すネズミは、公害などが問題になった地域に多く描かれている彼のトレードマーク的な作品です。**ドブネズミすら傘を差すという皮肉めいた絵なのですが、東京のネズミが描かれたのが3月11日の直後と言われているので、原発事故での放射能の問題を揶揄しているのではないかと言われています。

彼の作品はいまや価値が上がりすぎて、メッセージよりも彼の作品の値段などのほうに話題が行きがちです。しかし、活動家としてメッセージを発信するアーティストとして有名なのがバンクシーです。そういう目で彼の作品を見てみると、また違った発見があるかもしれません。

社会を挑発する「パンクで過激なYBA！」

年代：1963～　　出身地：イギリス

トレイシー・エミン

1980年頃、失業率が戦後最悪になったイギリスでは、過激な方法で表現する若者が現れます。

彼らの展覧会は賛否両論の嵐で抗議デモが起こり、観客が作品を壊すほどでした。彼らはＹＢＡ（ヤング・ブリティッシュ・アーティスト）と呼ばれ、その中でも目立った作家の1人がエミンです。プライベートをさらけ出す作品で大スキャンダルを起こしました。

《私が今まで寝たすべての人》（1995）
小さなテントの中に彼女が同じベッドで寝たことがあるすべての人の名前のアップリケが縫い付けられている。実物は火災でなくなった。

《マイ・ベッド》（1998）
彼女が使ったベッドがそのまま作品になっている。イギリスで権威のある現代美術賞のターナー賞にノミネートされた傑作。

個人の怒りが社会の怒り

「怒りを表現するパンクな」美術道

次にご紹介するのはイギリスの作家トレイシー・エミンです。エミンは、過激かつ反抗的な作品を作った若手グループＹＢＡのメンバーでした。

ヤングブリティッシュアーティスト
YBA
ジェイク&ディノスチャップマン
ダミアン・ハースト
サラ・ルーカス
クリス・オフィリ
レイチェル・ホワイトリード
などなど たくさん!
過激な イギリスの若手作家!

彼らの作品には政治的な反抗心が込められていて、とにかく過激でした。彼らの作品が現代美術の過激さの上限を引き上げたと言う人もいるほどです。作品を見た人が不快感を持ってしまうくらいに露骨な表現で、多くの反感を買いましたが、今ではメンバーの多くが美術の大作家として評価されています。

先にご紹介したバンクシーもイギリスの作家ですが、エミンもバンクシーとほぼ同時代に登場した作家です。両者とも過激な作品で有名ですが、この１９８０年から１９９０年にかけて出てきた激しい作品を作る若手作家によって、イギリスの美術界は大きな盛り上がりを見せます。

それまでヨーロッパで美術と言えばイタリアやフランスで、イギリスは美術よりも音楽のほうで有名なアーティストを多く輩出しています。ビートルズやローリング・ストーンズといったロックバンドから、政治的抑圧を歌ったパンクバンドのセックス・ピストルズもイギリス出身のアーティストです。

イギリスにはブラックジョークや皮肉を言う文化が強くあると言われていますが、このような下地が反骨のロックやパンクを生んだのかもしれません。**YBAのメンバーは、1970年頃から始まったイギリスのパンク文化を10代の頃から浴びて育った作家たちです。**

当時のイギリスには政治的な不満が市民の間に渦巻いていました。マーガレット・サッチャー政権下で失業率が戦後最悪になり、公共サービスや福祉の予算ががんがん削られていく政治に対して怒りを

当時のイギリス首相
鉄の女こと
マーガレット・サッチャー
格差社会が広がっていた。
不満が多い時代でした…

爆発させていたのです。

見捨てられていく個人の様子を突きつけるかのように、トレイシー・エミンはレイプや中絶、母親の死などの**個人的で性的な話や愛の話を赤裸々にスキャンダラスな方法で告発**していきます。

彼女を有名にした《私が今まで寝たすべての人 1963〜1995》（1995年）という作品では、後に詳しく紹介しますが、彼女が生まれてから作品が作られた1995年までの間に、一緒に寝たことのあるすべての人、102人の名前の書かれたアップリケがテントの中に縫い付けられています。**個人的な名前を作品に刻みながら、社会に潜む女性に関わる問題を浮き彫りにしようとした**のです。女性の問題は社会の中で見て見ぬふりをされがちですから、無視できないほど露骨に、過激に表現しようとしたと言われています。

エミンのスゴイところ

失業率も戦後最悪になった、鉄の女と呼ばれたマーガレット・サッチャー政権下で、怒りを作品に表現しました。個人の怒りは社会の怒りだと言わんばかりに、美術を通じて個人的な告発を社会的な告発にして発信します。

エミンの若手時代

彼女が共に活動したＹＢＡのメンバーも、過激な作家が揃《そろ》っています。ＹＢＡの作家はほぼ80年代後半にロンドンのゴールドスミスカレッジという大学を出た作家たちでした。

まずは、生き物をホルマリン漬けにした作品で世界的に有名になったダミアン・ハースト。全長約３メートルもあるサメを、まるで海で泳いでいるような姿のままでホルマリン漬けにした《生者の心における死の物理的不可能性》（１９９１年）など、「死」を取り入れた作品を作ります。

クリス・オフィリという作家は、黒人として描いた聖母マリアの周りにポルノ雑誌を貼り、その絵をゾウの糞《ふん》で自立させた《聖母マリア》（１９９６年）を作りました。アフリカとヨーロッパの交易品であったビーズ

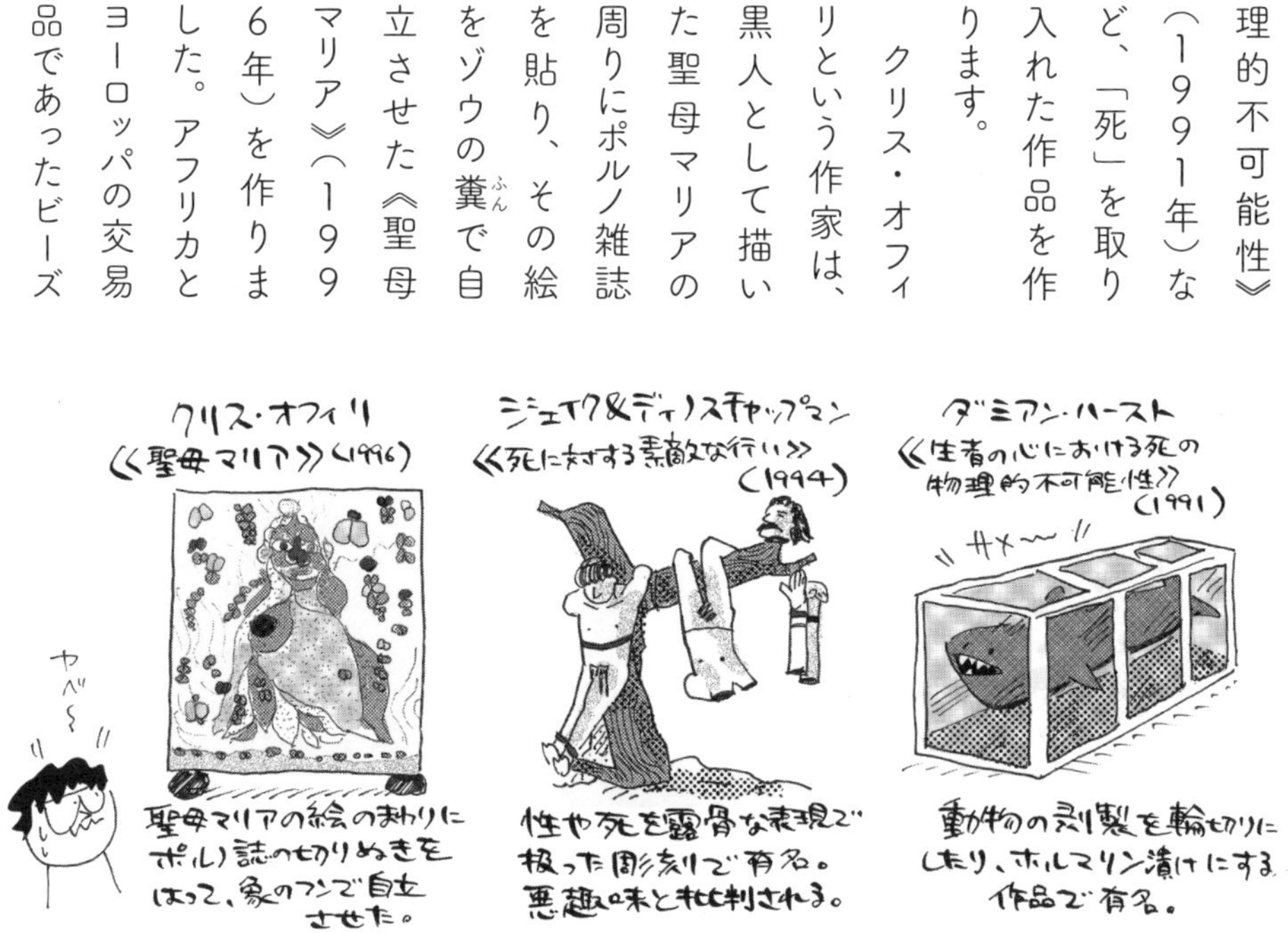
クリス・オフィリ
《聖母マリア》(1996)
ヤベ〜
聖母マリアの絵のまわりにポルノ誌の切りぬきをはって、象のフンで自立させた。
ジェイク&ディノスチャップマン
《死に対する素敵な行い》
(1994)
性や死を露骨な表現で扱った彫刻で有名。悪趣味と批判される。
ダミアン・ハースト
《生者の心における死の物理的不可能性》
(1991)
サメ〜〜
動物の剥製を輪切りにしたり、ホルマリン漬けにする作品で有名。

を用いたりと、自身のルーツや経験、アフリカの文化について表現します。

個人的な怒りも美術で社会につながる

エミンが一躍有名になった作品が、このイラストの作品です。かわいらしいテントの作品で、中にたくさんの人の名前が素朴な雰囲気で刺繍されています。かわいいですね。

この作品で彼女は爆裂的スキャンダルを巻き起こします。先述したように、《私が今まで寝たすべての人》は、**彼女が一緒に寝たことのあるすべての人の名前がテントの中に**

刺繍された作品です。性的な関係を持った人の名前だけでなく、子供の頃に一緒に寝た両親や兄弟の名前も刺繍されているので、寝たイコールすべて性行為というわけではないにしろ、強烈なインパクトのある作品でした。

元彼から美術界の権威の名前まで入っていたため、大きなスキャンダルになります。今まで寝た人という自分の個人的な歴史を書き連ねることで、男性優位の社会を壊しにかかりました。

この作品が発表されたときメディアは「彼女は自分が売れるために誰とでも寝た」と書いて、ゴシップとして面白がりました。けれどテントの中には「あなたたちといたことは忘れない」とも書かれていて、思い出に対する感傷的な雰囲気もあります。

この作品を買ったコレクターのチャールズ・サーチの作品保管庫が火事になってしまい、テントも焼けてしまったため、今ではこの作品を見ることはできません。

また、テントの作品と合わせて作られた彼女の代表作が《マイ・ベッド》（1998年）という作品です。イギリスで権威のある現代美術賞のターナー賞の最終候補にまでなった作品です。

退廃的な生活を感じさせる要素や、性行為を感じさせる要素が大量にばらまかれたベッドが、そのまま彫刻作品のように展示されています。

ボー
倉庫
オレのコレクションが～!!
YBAの作品が大量に焼けた…
←コレクターのチャールズ・サーチ

見ているとベッドを使っていた人の生活を想像してしまいます。とはいえただのベッドなのですが、この作品にはオークションで4億円以上の値段がつくほどになっています。

ほかにも自分の経歴を描いた作品として、自分自身が13歳のときに受けた性暴力の話や、中絶の経験を赤裸々に描いた、《Tracey Emin CV》（1995年）があります。ネオンで昔の記憶の情景をおぼろげに描くシリーズや、絵画、彫刻なども作っています。

彼女の作品はスキャンダラスな要素が多く、YBAの中でもインパクトのある作品を作りましたが、**根底**

ベッドのまわりに色々ちらばっている。
自分の写真
タバコ
アルコール
お酒
などなど…

にあるのは、自分の個人的な歴史を美術で、社会とつなげようとしたということです。

個人的な話も深く掘り下げると、社会の問題や自分の問題と共感する人とつながることを証明しました。

コミュニケーションを作品に！
異文化との遭遇を作るシェフ！

リクリット・ティラバーニャ

年代：1961～　　出身地：アルゼンチン生まれ、タイ国籍

ティラバーニャは、外交官の父とともにタイ、エチオピア、カナダ、アメリカなどさまざまな環境で育ちます。異文化との出会いがあちこちで起こる時代に、タイ料理を振る舞うことで**参加者同士の間に、出会い、会話、経験といった新しいコミュニケーションを生み出す作品を作りました。**「料理を通じて出来上がった関係性が作品」と言ったのです。

《パッタイ》(1990)
タイ風焼きそばのパッタイをギャラリーで振る舞う作品。食べた人同士の関係性を作品にした代表作。

《無題(Free/Still)》(1992)
タイカレーをニューヨークのギャラリーで振る舞った作品。これがきっかけで彼の作品が有名になっていった。

人と人を関わり合わせる!

「コミュニケーションを生み出す」美術道

ここまで見てきた中でも、作品を作って展示をすることこそが美術だ、という考えは現代になるにつれてどんどん薄まっているのがわかると思います。

作品を通じて見た人の心を動かす、考えさせる、想像させる、アクションさせる、ムーブメントを起こして社会を変える……など、美術はさまざまなことを試みてきました。

ここでご紹介するリクリット・ティラバーニャは、**作品を通じて人と人を関わり合わせようとした作家です**。美術で新しいコミュニケーションを生み出そうとしたのです。

90年代までは完成された作品を作ったり、パフォーマンスをしたりして、それをお客さんが見るというのが普通で、**お客さんが見に来なくても作品は完成しているものでした**。しかし、90年代以降には、カプローもそうでしたが、お客さんが参加して初めて完成する作品が出てきます。

そして、今回紹介するリクリット・ティラバーニャは展示会場で食事を作り、それをギャラリーに見に来た人に振る舞う作品を作ります。有名なのがタイ風焼きそばのパッタイを無料で振る舞う作品でした。

そして**彼の作品で大事だったのは、焼きそばを食べたお客さん同士で生まれるコミュニケーションでした**。

焼きそばがあることで、「美味しいね」であったり「これは○○の国の○○で作られていてね」「これはいったい何!?」といったように、いろんな会話が生まれたり、「今度一緒に作ろう」というように新しい行動が生まれたりしました。ティラバーニャは、**自分の作品は新しく生まれるコミュニケーションの様子を視覚化したものだ**と言ったのです。

みんなで同じ料理を食べて交流することでハッピーな気分になります。料理を食べるなんて1日3回くらいを毎日することなのに、**まるで新しい体験に感じる**ことができたのです。

デュシャンが、ひっくり返した小便器を《泉》と言って出してきたときもみんなびっくりしましたが、焼きそばが出てきたときもびっくりしました。

デュシャンの小便器から、作品自体より内容が大事なコンセプチュアル・アートが出てきたように、90年代あたりから出てきた、**作家が作るものより作品によって起こるコミュニケーションが大事だという作品を指して「リレーショナル・アート」と呼ぶようになりました**。リレーショナルは「関係性」という意味です。展覧会を交流の場所にするような作品のことをまとめて、こう呼びました。

ティラバーニャのスゴイところ

グローバル化が加速し、新しい文化と出会いやすくなった90年代に、ティラバーニャは人と人を関わり合わせようとする作品を作ります。彼は、出会いによって生まれる会話や経験、アクションといったコミュニケーションの様子を記録し、見えるように作品にしました。

人力ネット回線

彼は1961年にアルゼンチンで生まれました。タイ外交官の息子だったこともあり、自身のルーツであるタイを含めてエチオピア、カナダ、アメリカなどさまざまな国を転々としながら過ごします。いろいろな国の美術大学や学校4つほどで勉強したので、遊牧民みたいだと言われたそうです。

彼が成人した1980年代というのは、インターネットが浸透して、コミュニケーションのあり方がガラリと変わっていく時代でした。そして同時に、海外へ行くことが容易《たやす》くなった時代でもあり、グローバル化という言葉も出てきた時代です。

多国籍な文化がより活発に混ざり合い、新しい人と人の出会いや対話といったコミュニケーションが生まれる中で、彼は美術作品を通じたコミュニケーションを模索し始めます。

1990年に彼は、ニューヨークのギャラリーでタイ風焼きそばのパッタイをお客さんに振る舞う作品を作ります。

これは**ギャラリーに来た見ず知らずの人同士の関わりを作るような作品でした。**顔を合わせて交流するので、和気藹々《あいあい》とした関わりが起こりました。

彼は、自身のルーツであるタイの料理を作品として扱いました。そうしたことで、ヨーロッパやアメリカの人にとってタイの文化をダイレクトに感じることができる新鮮な

人どうしがネットで簡単に
つながれるようになったので…
現代とくらべておそすぎる…
コミュニケーションについて改めて
考えようとする作家が多く出てきた

機会にもなりました。そして重要なのが彼の料理がすごく美味しかったことでした。お店で食べるものより美味しいと言う人までいて、関わり合いも加速したと言われています。

ニコラ・ブリオー『関係性の美学』

「リレーショナル・アート」という概念は、美術にとってとても大事な言葉になっていきます。

先述したように、90年代くらいから美術作家は、自分たちはどうやって社会に関わっていけるかを考えるようになっていました。政治やデモなどを通して訴える方法も登場しましたが、より日常的に行われる、人と人のコミュニケーションを見直す作品に注目が集まるようになります。

また、この時代はインターネットが浸透して、さら

に、加速するグローバル化によって世界中どこに行っても同じような景色が広がるようになっていました。日本中どこに行っても同じマクドナルドがあるしスターバックスがあります。同じロゴがあります。同じ人工物が溢れて、社会の絆《きずな》も資本主義による利益を追求するための人工物になりました。誰でも飛行機に乗れるようになって便利になりましたが、利用者はマイルを発生させるための副産物になったと言われました。

このようにどんどん画一化していくコミュニケーションから逃げるための場所として、異なる者同士だからこそ生まれる気づきや対話、経験といったコミュニケーションの様子に注目した参加型の美術作品が注目されるようになったのです。

この考えは、フランスの美術批評家ニコラ・ブリオーによって広まっていきました。ブリオーは、お客さんが参加することで完成するような作品や、作家の自己表現というより社会と関わることで完成するような作

品のことを『関係性の美学』という本にしてまとめました。

その後のリレーショナル・アート

新しいコミュニケーションを生み出すことが美術だ！ という考えのもと、リレーショナル・アートは急速に増えていきます。ですが、ティラバーニャが行った、食事を提供するとか議論をするという方法論のみを引き継いだような有象無象《うぞうむぞう》の作品が大量に作られてしまったのも事実です。

最近コミュニケーションを作品にする作家が多いな
リレーショナルアートと名付けよう！
美術批評家
ニコラ・ブリオー

例えば、ただお客さんと盛り上がるためだけのイベントや作品にも、リレーショナル・アートという言葉が使われるようになりました。

その場では楽しいかもしれませんが、あまり意図もなく、ただみんなで何かを食べるとかお茶を飲むといった作品が乱立しました。

ちなみに日本はアートイベントが多く企画されている国です。世界で行われているアートイベントの約半数が日本で行われていると言

こうやってみんなで集まれば作品ってこと？
そんなに単純じゃないよ！
茶

われているほどです。イベントに求められる参加型アートは、ニコラ・ブリオーが批判した画一的なコミュニケーションに収まってしまった作品が多く出てきてしまいました。

なぜこのようなことを書くのかというと、私自身がそういう作品をたくさん作っていた時期があるからです。びっくりするくらい評価されませんでした。美術道は厳しいものですね。当時を思い出すと今でも心臓が痛くなります。

クリスト＆ジャンヌ＝クロード

社会と自然を美術に巻き込む「プロジェクトマネージャー！」

クリスト	年代：1935〜2020	出身地：モロッコ
ジャンヌ＝クロード	年代：1935〜2009	出身地：フランス

建築物や島などを大規模に布で包むプロジェクトを展開したのがクリスト＆ジャンヌ＝クロード夫婦です。

2人は社会の風景を一瞬でも大きく変えることを目指しました。**作品は大規模であるため、住民や役所への交渉と協力の呼びかけなどが必要**となります。

2人はこの進行のプロセスすべてを含めて作品としました。**人・社会・自然・美術の関わり合いを模索した**のです。

《囲まれた島々》（1983）

フロリダ州マイアミの11個の無人島の周りをピンクの布で囲んで、島の存在感を際立たせた。許可を取るために島の環境保護のために寄付もした。

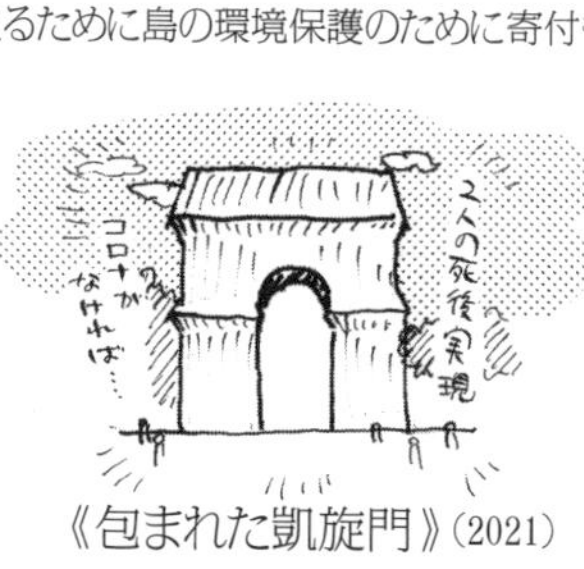

《包まれた凱旋門》（2021）

1961年に構想されて、彼らの死後の2021年に実現したプロジェクト。彼らの最後の作品として大きな話題になった。

*旧ドイツ帝国議会議事堂

大切なのは、交渉！

「プロジェクト型」美術道

第1章でアラン・カプローをご紹介したとき、作家が美術館の外に出て作品を作るようになったと書きました。アラン・カプローは、「この世界のものはすべてアートのために使うことができる」と言いましたが、街から規模をさらに広げて、島や海岸や湖や山といった土地をそのまま作品に利用する「**ランド・アート**（**環境アート**）」と言われる手法が登場しました。

美術館やギャラリーから飛び出して、その場所にある自然の力も使おうとする作品が出てきたわけです。

そして、中でも異質な作品を作っていたのがクリスト&ジャンヌ=クロードという美術家の夫婦でした。2人が作る作品は、自然物や建造物を布で包むというもの。「なんだい、包むだけなら自分でもできるや」と思うかもしれませんが、**2人の作品の特徴は、包む規模がとにかく巨大であったことです。**島や凱旋門といった、とんでもなく大きい建造物をそのまま布で包みました。

この規模を作品で扱おうとすると、もちろん作家だけでは実行できません。お金もかかれば、その土地を利用する政治的・社会的な許可申請が必要になりますし、手伝ってくれる人の助けも必要になります。

社会や自然と関わる大規模な美術を実現するためには、人々への呼びかけや役所との交渉が必要不可欠。

2人は、作品の計画を「プロジェクト」と呼び、プロジェクトの進行プロセスそのものも作品として記録しました。**社会や自然の風景を変えるために、自らどんどん社会と自然に関わっていったのです。**社会・自然・美術の関わり方を模索した作家夫婦でした。

クリスト&ジャンヌ＝クロードのスゴイところ

美術で社会を変えようとする作家が現れる中、社会的な建築物や自然にある島などを布でくるんで風景を変えようとしました。そして、社会や自然を変えるためには、自分たちも社会と自然にどんどん関わる必要があります。2人は、社会・自然・美術がどのように関わり合えるか、この模索プロセス自体を美術にしたのです。

見慣れた風景を包んで変える

2人は島や歴史的建築物など、大掛かりなものを布で包んでいきました。どうしてこんなに、ものを包むことに固執するのでしょうか。

クリストの若者時代は第2章でもご紹介したアンディ・ウォーホルがアート界に旋風を巻き起こしていた

時代でした。

スープ缶やタイヤなどの日常のものを題材に作品を作るポップ・アートが大流行していた時代です。クリストも日用品を新しい見方で表現できないかと考えました。そこで生まれたのが、**椅子などの家具や日用品を布で包む作品でした**。

例えばこれを読んでいる人も、普段日常的に使っているもの（コップやペットボトルでもなんでもいいのです）をタオルなどの布で包んでみてください。そうすると、包んだものの形だけが浮かび上がってきますよね。「これってこんな形をしていたんだ！」「こんな大きさだったんだ！」という発見が生まれないでしょうか。ちょっと面白い感覚になれると思います。

クリストは最初、このような意図で**見慣れたものを布で包み、見慣れない何かに変える作品を作っていました**。さらにクリストはもっと大きいものを包みたいと考えるようになります。そして、この時期

（1959年）にジャンヌ＝クロードと大恋愛を経て結婚。2人でクリスト＆ジャンヌ＝クロードとして作家活動をするようになります。2人のパワーが合わさってどんどん大きい作品制作をするようになるのです。

次の年にはドイツのケルン港で《埠頭《ふとう》のパッケージ》（1961年）という作品や、彼らには珍しいゲリラで作った作品《ドラム缶の壁、鉄のカーテン》（1962年）を作ります。

若いころのクリストはとにかく身近なものをつつんだ！
木馬のおもちゃとか！
イスとか！
つつんだのだッー!!

どんどん大きくなる2人の作品

1964年頃から、2人はアトリエをニューヨークに移し、それまでよりもさらに大きいものを包むようになります。

みんなの度肝を抜いたのが、オーストラリアのリトルベイの浜辺や岩を9万2900平方メートルの布で包んだ《包まれた海岸線》（1968〜69年）という作品でした。布で浜辺を覆ってしまうので、浜辺にある岩や植物は見えなくなってしまいます。けれど、海と陸の境界となる海岸線がよりはっきりと見えるようになりますね。さらに、**なんの変哲もない浜辺**

ドラム缶で路地をうめる！
《ドラム缶の壁、鉄のカーテン》(1962)
横にしたドラム缶
通れない…
ぎちぎち
この時はゲリラ！

が、布をかぶったことによって大きな彫刻のようにも見えてきます。

1985年にはパリのセーヌ川のポン・ヌフの橋をそのまま布で包んだ《包まれたポン・ヌフ》という作品を作ります。

彼らはこのときから、「いつか凱旋門を包んでみたい」と考えるようになったと言われています。しかし凱旋門は、戦死者を追悼する歴史的な建造物。大きさにかかる労力もさることながら、そもそも国の許可がおりないだろうと構想だけを練っ

《包まれたポン・ヌフ》(1975~1985)

ていました。

ちなみに、あまりにも作品の規模が大きいので、彼らのプロジェクトは毎回何億円ものお金がかかります。そしてそのお金は、実はすべて自分たちで出しています。金銭的な援助を受けていないのです。**理由は自由にやりたいから。**

毎回彼らは構想のスケッチを作品として売って資金を稼いでいます。ものを布で包む作品自体は、売るところがないので全くお金を生み出しません。

許可を取るのが一番大変だった

彼らは作品を作るうえで一番大変なのが「許可を取ること」だと言っています。《アンブレラ》(1991年)という作品でカリフォルニアに黄色い傘を1760本、日本の茨城県に青い傘を1340本、同時に立てるプロジェクトをしたときは459の土地の所有者と会い、作品のために土地を貸して

ほしいと直接交渉したそうです。そのとき合計6000杯のお茶を出されたとか。

フロリダのマイアミにある11個の無人島の周りをピンクの布で包む《囲まれた島々》（1983年）という作品を作ったときには、マイアミ市議会で賛成・反対が割れてなかなか許可がおりませんでした。誰もが美術に対して肯定的な理解があるわけではありませんから、仕方ありません。同じこ

あなたの土地に傘をたてたいのです！
いい人そうだ。いいですよ
とにかく許可とり！

とをしてもこれがハリウッド映画なら許可はすぐおりても、美術にはおりないこともしばしばあったそうです。許可取りはとても大変だという2人の苦労話もたくさん残っています。では、「なんでそんなことするの？」と思うかもしれませんね。でも2人は、**この許可取りや交渉のプロセスこそ、社会と自然と美術の接点を探るものになると考えた**のです。

包まれた凱旋門

実績を積んでいったクリスト&ジャンヌ=クロードですが2009年にジャンヌ=クロードが亡くなり、クリストは彼女の分も作品を作り続けます。そしてこのとき、パリのポンピドゥーセンターという美術館でクリスト&ジャンヌ=クロードの展覧会が企画されます。そこで、彼らが昔考えていた凱旋門を包むプロジェクトをやろうと提案されます。

今までずっとやりたいと考えていた作品です。フラン

ス政府に協力を得て、凱旋門についた彫刻をどうやって傷つけないように包むか考えて、どういう布が一番作品をよく見せるかにもこだわりました。けれど2020年に完成予定だったはずが新型コロナウイルス感染症の影響により延期になり、その年にクリストは亡くなってしまいました。

翌年の2021年に2人の遺志を継いでプロジェクトは再開され、凱旋門が布で包まれたとき、大勢の人の歓声が上がりました。

社会に自分たちの美術が受け入れられるために戦った2人の集大成となる作品でした。

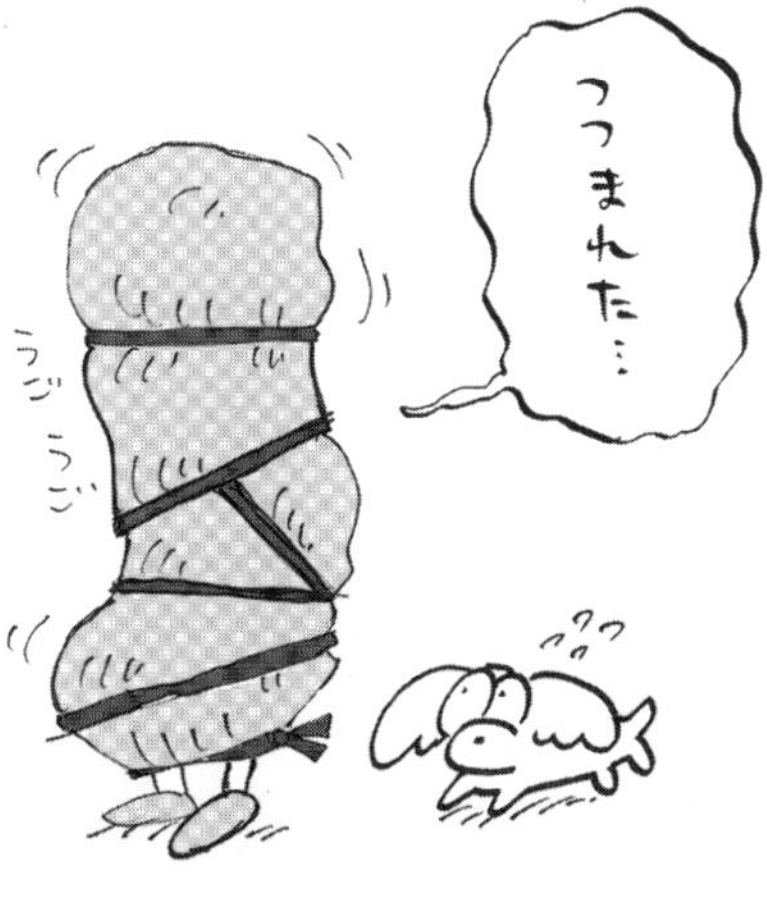

問題に調査データで切り込む
「誰でもなれる匿名グループ」

ゲリラ・ガールズ

結成：1985～　　出身地：アメリカ

本書でもご紹介したシンディ・シャーマンやジュディ・シカゴのように、美術界のジェンダー状況を変えようとする作家がいるものの、それでもまだ不均衡と不平等さは残り続けています。この現実を調査データと共にわかりやすいグラフィティ作品にすることで、意識改革を促そうとしたのがゲリラ・ガールズでした。**ゴリラのマスクをかぶれば誰でも参加できるので、世界中にメンバーがいます。**

《メトロポリタン美術館に入るには女は裸にならないといけないの？》(1989)

美術館に収蔵されている作品のほとんどが男の作品であるが、ヌードを描いた作品のほとんどが女性のヌードといういびつさを数字にして広告にした代表作。

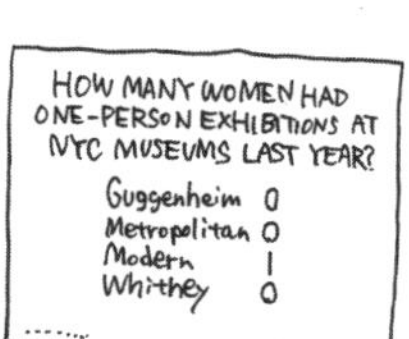

《昨年、ニューヨーク市内の美術館で、個展を開いた女性は何人でしょう？》(1985)

グッゲンハイム0人、メトロポリタン0人、近代美術館1人、ホイットニー0人というデータが書かれた作品。

統計データで社会を告発

「調査とデータで告発」美術道

世の中を美術で変えようとする第4章の作家の中でも、世の中の不平等や差別を訴えたトップランナーがゲリラ・ガールズです。ゲリラ・ガールズはとくに、**統計データや投票を用いて、事実を風刺的に表現したことが特徴**です。

第1章でヨーゼフ・ボイスは「社会彫刻」ということを言ったとご紹介しました。それが政治活動でも教育活動でも、環境保護活動でも、未来をよく作り変えようとする活動なら、それは社会を彫刻する美術だと言ったのです。

現代ではさらにこれが発展して、**社会問題を解決するための作品を「ソーシャリー・エンゲイジド・アート」という呼び方をしています**。意見の異なる者同士で対話をしたり、デモ活動をしたりと、社会と関わる方法はさまざまありますが、ソーシャリー・エンゲイジド・アートと呼ぶときは、基本的には社会問題やその社会問題の渦中にいる人たちと作品を通じて深く関わろうとするものを指します。いまやほとんどの現代美術は「ソーシャリー・エンゲイジド・アート」の歴史を経由している作品なので、何かしら社会問題を扱うことはスタンダードになっています。

作家は今までに見たことがない作品を作って、古い美術をひっくり返そうとしてきましたが、現代では古い社会構造自体をひっくり返そうとしているのです。

美術よりも広い範囲を相手にしているのですから、反抗的で戦うばかりの美術道においてもトップクラスに炎上し、批判も受けながら活動しているグループです。

ゲリラ・ガールズは、1980年代に結成してから一貫して美術界の性差別や人種差別について訴えてきました。美術業界は平等そうに見えて差別に溢れているのです。この現状を変えるために、データを徹底的に調べ上げて美術界の歪みを告発する作品作りや行動をし続けます。

ゲリラ・ガールズは美術界で取り上げられる作家の男女比を徹底的にデータにしていきました。有名美術雑誌に取り上げられている作家の男女比、人種比、有名美術館で開催される個展の男女比などをデータにして提示しています。

美術館はそれまでの美術を切り拓いてきた歴史的な作品を〝公平に〟展示しているのではなく、白人の男たちの歴史を強化するために排除してきた作家がたくさんいることを明らかにしました。

私も含めて、これまで多くの人が面白いと夢中になって追っていた美術の歴史は、弱い立場の人をないがしろにして作られている。ゲリラ・ガールズは、

この事実を突きつけて、美術界自体をひっくり返そうとしているのです。個人的にはデュシャンの小便器がひっくり返ったことより衝撃的です。

ゲリラ・ガールズのスゴイところ

これまで積み上げられてきた美術の歴史は、弱い立場の人をないがしろにして作られているのだとすれば、美術の歴史そのものを疑う必要があるのではないか? そう問いかけるゲリラ・ガールズは、美術界の構造やあり方そのものをひっくり返そうとします!

ゲリラ・ガールズ結成

ゲリラ・ガールズが結成された発端となったのも、抗議活動でした。

１９８４年に世界でトップレベルの影響力を持つ美術館のニューヨーク近代美術館（ＭｏＭＡ）で、「現代絵画・彫刻の国際調査研究」展が開催されます。

これはこれまでの現代美術の歴史を総括し、現代美術の歴史を作ってきた作家を紹介することをテーマとする展示だったのですが、そのうち**女性作家は出品作家１６５組中、たったの13人**でした。作家はほとんど白人男性で、女性作家は全員白人でした。

さらにはこのときの館長が、「ここに展示されていない男は自分のキャリアを考えたほうがいい」と、女性作家は眼中にないような発言をしたものですから、ニューヨークの女性作家は抗議活動を開始します。

男性中心の構造を変えていかなければならない、これからはそういうことがないようにと声を上げ始めます。この抗議活動には、女性だけでなく有色人種の男性作家も参加しました。

美術界に限らず、フェミニズムの話題では、「成果を出せば、いいものを作れば評価される」という批判がつきものです。ですが、そもそも「これはいいものだ」と評価する側が白人男性だけでは、偏りが生まれて当然です。**これまでの美術の評価が偏った考えでなされていたとするなら、美術の歴史そのものを問い直す必要がある**と彼女たちは思い至ります。

そして１９８５年に完全匿名のゲリラ・ガールズを組織します。

メンバーはゴリラのお面をかぶり、アート界の性差別、人種差別、検閲パターン

ゴリラのマスクの
匿名の作家たち
マスクをかぶるだけだからメンバーは世界中に！
日本にもゲリラガールズはいました！

を暴く文化的テロリストを名乗ります。思想を共有した世界中の作家が同じようにゴリラのお面をかぶり活動しました。お面をかぶれば、立場の弱い個人へのバッシングを防ぐことができ、さらには見た目のインパクトも強くキャッチーになりました。メンバーはそれぞれ歴史上の女性作家の名前を名乗りました。これは今までの不当な美術史を変える戦いだと言ったのです。

女性がメトロポリタン美術館に入るにはヌードにならなければいけないか？

彼女たちは美術界の差別を**徹底的なリサーチをもとに、数値化してキャッチーでポップなポスター作品として出しました。**

ゲリラ・ガールズの作品で有名なのが《メトロポリタン美術館に入るには女は裸にならないといけないの？》（1989年）というポスター作品です。モダンアートセクションで展示されているヌード作品は85パーセントが女性のヌードなのに対して、女性作家の作品は5パーセントしかないというデータが示されています。

この作品はニューヨークの公共美術基金から、ビルボード（広告用ポスター）を作ってほしいという企画のために作られましたが、作品を見た基金から展示を拒否されたので、彼女たちでバスの広告欄を買って貼り出しました。こういう挑発的な広告は当時の美術界では受け入れられていませんでした。

なんとなく美術界には性差別があるなとみんなが思っていた時代に、**しっかりデータにして提示したゲリラ・ガールズは革命**

MOMAの前でデモをする作家たち

的でした。データにしてみると、あからさまに偏っていたことが一目瞭然だったので、美術界には激震が走ります。

世界中で増え続けるメンバー

ゲリラ・ガールズはゴリラのお面をかぶれば誰でもなることができるので、世界中にメンバーがいます。日本でもゲリラ・ガールズの展示が開催されたときには、ゲリラ・ガールズだった作家が結構います。

個人の手柄やキャリアよりも、集団の考えを実現するために作家が集まりチームとして作品を作る形態を、最近の美術界では「コレクティブ」と呼びます。**現状の社会を変える**

今では代表作で超有名！
データ×アート！
Do women have to be naked to get into the Met. Museum?
Less than 5% of the artists in the Modern Art Sections are women but 85% of the nudes are female.
GUERRILLA GIRLS
バスの広告スペースにはっていた！

ために集団で闘おうと考える作家が増えているのです。第3章までは個人プレーの天才たちを扱ってきましたが、近年になって流れが変わってきている感じがします。

女性作家1人が声を上げたり告発したりしても、無視されたり、干されて仕事をなくされたりする可能性がある中、匿名の集団で連携することで、1人ではできない規模の作品を作り、助け合うことができました。とくに現代はインターネットがあるので、世界中でメンバーが簡単に連携できるようになったことも有利なポイントです。

その後、現代にかけてもゲリラ・ガールズを筆頭に、美術界の不平等を是正しようとする動きはたくさん

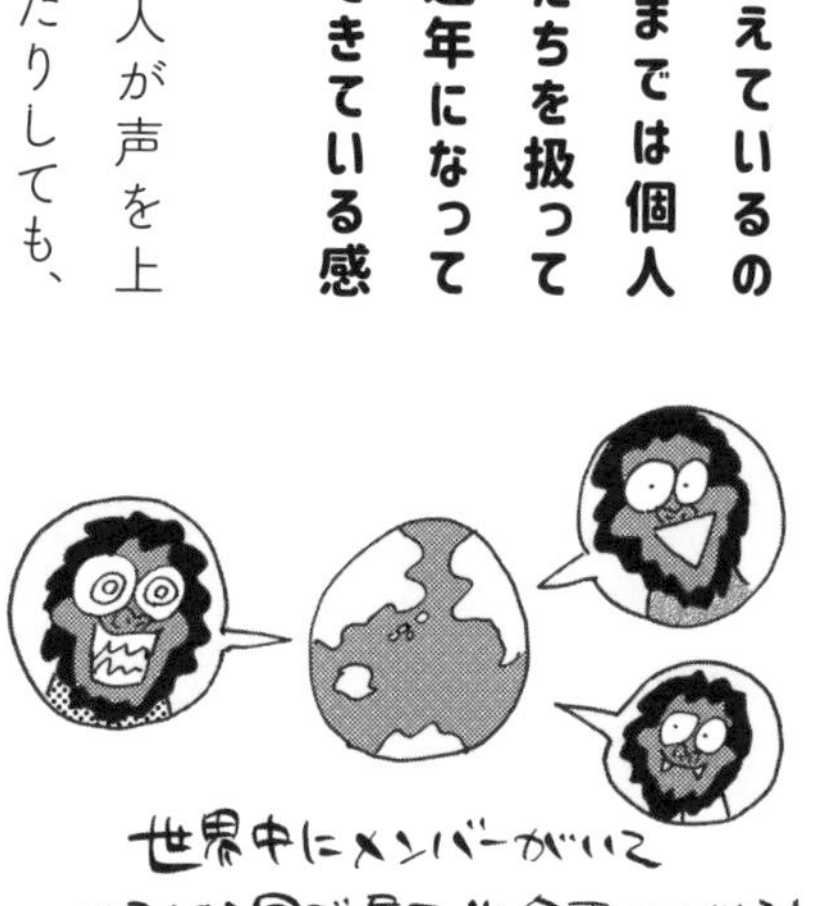
世界中にメンバーがいて
いろんな国で展示や企画ができる！

出てきています。女性作家は結婚や出産、育児などさまざまな事情からキャリアを断念しなければいけないケースが生じます。

これは美術に限らない話になりますが、女性のほうが仕事上のキャリアを積むのが難しい構造が、事実として存在するのです。

デュシャンのように小便器をひっくり返すような革命を起こすことより、現代のいびつな社会のあり方をひっくり返すことのほうが重要な気がします。

〈第4章 ソーシャル・アート道〉の特徴

美術は、戦争・貧困・教育・人権・自然保護など、より具体的に、より深く社会的なメッセージとの結び付きを強めていきます。あらゆる方法で世の注目を集めながら社会の是非を問いました。

美術はメッセージを届ける手段になる

バンクシー

関心が持たれていない話題にも、自身の人気を利用して注目を集めようとする。**美術評価よりも、メッセージを届けることを優先**した。

個人的な怒りも、美術で社会につながる

トレイシー・エミン

個人的な告発も、社会問題の告発につながる。

社会の怒りに通じる個人の怒りを美術を通して世の中に見せつけ、発信した。

人と人の関わり合いが作品になる

リクリット・ティラバーニャ

社会に関わる方法としての美術が注目される中、**新しいコミュニケーションを生み出すことこそ美術**であると考えた。

大切なのは交渉プロセス

クリスト＆
ジャンヌ＝クロード

「人・社会・自然・美術はどう関わり合えるか」を**交渉によって模索しようとした。**

統計データで社会を告発

ゲリラ・ガールズ

現代美術界のジェンダー問題は深刻化していた。そこで**マスクをかぶれば誰でも参加できる匿名集団として、統計データを用いて抗議を行った。**

美術を通じて人と人、人と自然、人と社会などの関係性を構築し直そうとする動きが、より直接的になっていきます。そのために作家は、あらゆる方法で問題を表現し、世間の注目を集め、関心を得ようと試みます。

巻末に寄せて

僕らこれからどこに行こうか？

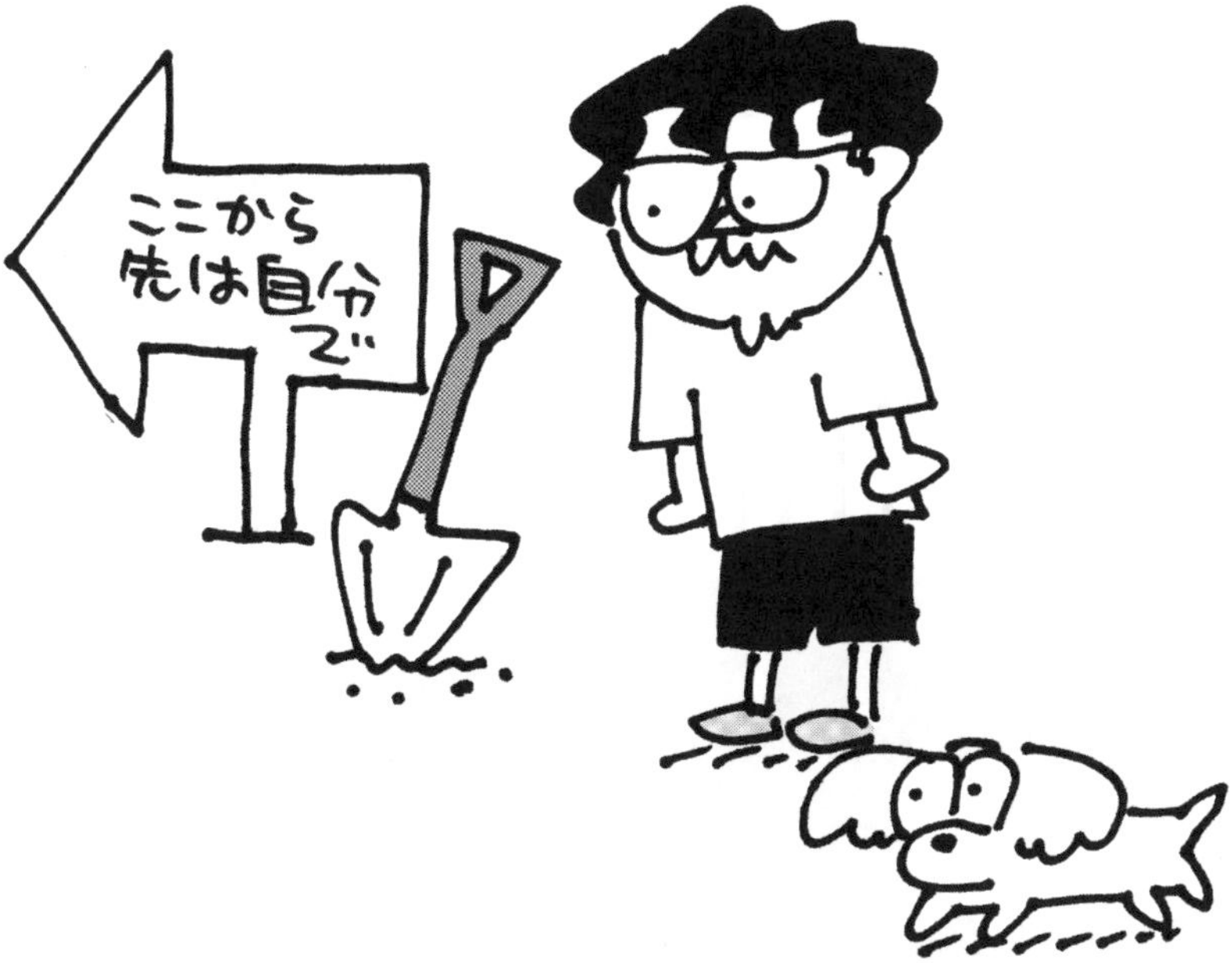

今の美術道

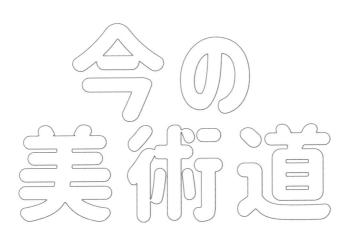

ついに長い美術道を抜けたぞ！現代に来た！
ヤホー
うわあめちゃくちゃ人がいる！
ワラワラ
現代にもたくさん作家がいるからね！
ここからは最近の人や作品を中心に紹介していくよ！
これはマウリツィオ・カテランのバナナを壁に貼っただけの《コメディアン》
バナナ〜
ペタリンコ！
1600万円の値段がつきました
きっとすごく昔の作品だから高いんだろうなあ
2019年の最新作品です
死んだ作家じゃないんかい!!
ただのバナナが1600万円ってサギ師め！
ガクガク
ガクガク
ガク
成長がないないコイツ
ここまでの美術道で紹介した作家は存命の人も多いよ
デュシャンの《泉》も100年前だし最近だろ
イエーイ
IZUMI
死なないと有名になれないと思ってた
考え方こわ
というわけでまだ美術道を見ていこう！
終わりが見えない

そんなバナナ
カテランの壁にバナナを貼っただけの作品は1600万円で売れて物議を醸したけど、実はバナナ1つをとっても奥深い!
つるっ
1 アンディ・ウォーホル《バナナ・ジャケット》(1967)
自分のプロデュースするバンドのヴェルヴェット・アンダーグラウンド&ニコのアルバムジャケットをバナナモチーフにつくる
ペリペリ
シールになってめくれる
服やグッズになったり!
バナナはポップアートの象徴に!
まずバナナで一番有名な作品といえばアンディ・ウォーホルの《バナナ・ジャケット》!
2 ナタリアLL《消費者アート》(1972)
バナナをいやらしく食べる写真作品。抑圧されていた女性が当時高級品のバナナを性的に消費する挑発的な作品。

バナナは性器のメタファーとして使われた!

2019年にこの作品を撤去する美術館に抗議するデモ行進があった。(バナナ片手に)
3 ジャン=フランソワ・ボクレ《バナナマンの涙》(2009)
人型のバナナ300kgに文字が刻まれていて、展示中にドス黒くくさっていく。300kgの犠牲。バナナからみえる世の不平等。
バナナは貧しい国でつくられて裕福な国で売られる。貧富の差の象徴でした
ポップ・アートの象徴だったり性のメタファーだったり貧富の象徴だったり…たくさんの意味でバナナは美術に登場した
4 ニコラ・マルーフ《バナナは何色?》(2017)
バナナという言葉をネットで検索するだけでいびつな世界がみえてくる映像。

みためが黄色く、中が白いバナナから自分を白人のようにふるまう黄色人種をバナナとよんだ歴史がある。
5 マウリツィオ・カテラン《コメディアン》(2019)
様々な文脈をかかえたバナナをキリストのように磔刑にした。

天国、煉獄、地獄を旅するダンテの「神曲」の原題は「コメディア」(喜劇)。このコメディアンもアートの様々な世界を旅したのでしょう。コンセプト最高。高いのもなっとく!

バナナ1つでそんなに意味が……

《コメディアン》をパフォーマンスと言って勝手に食べる人もいた。

岡本太郎の後の日本の美術道を紹介するよ！
あっ！
キラーーン！
フィギュアだこれも作品なの!?
アニメや漫画をモチーフにした日本のポップ・アートが出てきます
村上隆《KO²ちゃん》(1997)
やりたい！人気出てすごく儲かりそう！
あさはか…
日本のオタク文化とアートをつなげる作家が90年代から有名になっていきます
筆頭の村上隆！
この《マイ・ロンサム・カウボーイ》は2008年に16億円で落札された当時のアジア最高額！
ズギャーン
子供に見せたくないタイプのキャラだ…
日本の美術はどんどん変わっていくのです
2000年になってからは芸術祭というイベントが盛り上がります
ザザーン
あっ草間作品！
インスタ映え〜！
そして一番大きく美術を変えたのが2011年3月11日の東日本大震災でした
自分に何ができるか考えた作家は美術を通して人と人とをつなげる活動を始めたのです
死者1万5900人
行方不明者2523人
(2021年6月時点)
さあこれから日本の美術を切り拓こう！行ってこい！
芸術は爆発だ！
ドカーン
ワア ワア
ワア
ワア
ここも修羅の道だなあ…

アフタータロー
爆発だ！！
ピカー！
1 芸術はサンプリングだ！
2 日本のオタク文化を引用した作品が多く登場！
第3章で紹介した岡本太郎の後も日本の美術は続く！
村上隆《KO²ちゃん》(1997)
等身大のフィギュアみたいな彫刻。こんなのみたことないと海外の美術ファンは大衝撃！
福田美蘭《湖畔》(1993)
1897年の黒田清輝の《湖畔》の背景を引きのばした作品。シンディ・シャーマンみたく昔の作品を引用する人がふえる。
黒田の湖畔 →
ププ
オタク文化をパクリやがって！
日本ではひややかな反応…
ワオ！クレイジー！
3 大芸術祭時代！
2000年から新潟で大地の芸術祭がはじまる。世界の美術を紹介しつつ、地域を美術でもりあげて、活性化！
2000年代から新潟で始まった「大地の芸術祭」は大成功！ 美術を見るために地方にたくさんの人が訪れました
草間彌生《花咲ける妻有》(2003)
ドーン！
大成功したので日本でたくさん芸術祭がはじまります！
4 マイクロポップ
2007年、松井みどりさんが企画した展覧会「夏への扉ーマイクロポップの時代」
奈良美智、大木裕之、泉太郎などが参加
大木さん
常にカメラまわす
よりなんてことない自分の小さな日常から作品を作る、より小さい視点のポップアートができる。
取り扱う題材も年々変化していっています
5 震災
2011年の東日本大震災で、美術の無力さにうちひしがれていた作家がボランティアの中で作品をつくったり…

渋谷駅にある岡本太郎が水爆の恐怖を描いた《明日の神話》の欠けた部分に原発のメルトダウンのイメージをゲリラで足したChim↑Pom。すごく炎上した。

でるでる
ここにも太郎が…

Chim↑Pomは震災後すぐにボランティアに行って地元の若者と作品もつくる…

《気合い100連発》(2011)

今までの美術道って西洋の作家多くない？
現代美術がアメリカとかヨーロッパで盛り上がってた文化とはいえ
カプロー
ポロック
デュシャン
ウォーホル
シカゴ
ぶっちゃけその通りなんだよね
でも最近は美術も国際化してきていろんな作家が注目されているよ！
※西洋って？ヨーロッパ・アメリカ諸国のこと。
でも今でも西洋での成功を目指す人が多いのは事実！
美術が盛り上がっていて買う人が多いから！
だから村上隆さんは戦略を立てて海外に打って出た！
オレ英語苦手だからムリかも
西洋による植民地支配時代を反省し多様化していこうという現代の態度を「ポストコロニアリズム」と言います
ポストコロニアリズム
だから今では、西洋でもいろんな国の作品が美術館で紹介されています
歴史を見つめ直す作品はたくさんあるよ
第1章で紹介したヨーゼフ・ボイスの《私はアメリカが好きアメリカも私が好き》
これはアメリカの負の歴史にフォーカスした作品でもある
超いたい
ガブ
ギャラリーでコヨーテとくらした作品
こんな作品見たなあ
《私は日本が好き日本も私が好き》という作品を考えた！
すぎる
人間ゆるすまじ
ガブ
3日間ニホンオオカミと暮らします
ニホンオオカミって絶滅してるんじゃ……
まず探してみようかと……

見つめなおす時代！
コヨ〜
1
1989年の「大地の魔術師たち」展
フランスの国立近代美術館（おしゃれ）
ポンピドゥーセンターで開催された。西洋と西洋でない国の作家を分けへだてなく紹介。展示スペースも平等に同じサイズにした！
1989年の「大地の魔術師たち」という展示が開催されたこともあり、ずっと西洋中心だった美術の歴史を見つめ直そうという動きが活発になります！
2
1999年、黒人作家のクリス・オフィリ作《聖母マリア》が大炎上！
聖母マリアを黒人として描いた絵を象のフンで自立させた
マリア様への冒涜だ！
アフリカからつれてこられた象と黒人どれいの歴史を重ねた
ニューヨークでの展示でキリスト教信者やNY市長が大激怒！美術館に展示をしないように圧力をかけけた。けど黒人がうけた暴力をみつめなおさせる作品。
3
中国の作家アイ・ウェイウェイの《漢時代の壺を落とす》（1995）
パリーン
これまでの文化をみなおせ！
もったいない…
2000年前の漢時代の何千万円もする壺をホントに割ってこわす写真作品。それまでの文化や歴史について目をむけさせようとした。（壺は自分の所有物）
美術によって自分の国の忘れてしまいがちな負の歴史を見つめ直そうとする人もいっぱい出てくる
4
2022年のドクメンタの芸術監督に「ルアンルパ」が就任！
ドイツで5年に一度開かれる美術の超ビッグイベントのドクメンタの芸術監督にインドネシアのアートグループ「ルアンルパ」が抜擢された。
5
となりどうしを見つめなおす時代
今までの美術道と様子が変わってきているなあ
ムサビ×朝鮮大共同企画「突然目の前がひらけて」
ムサビ
朝鮮大
「突然目の前がひらけて」という学生主体の企画も注目されました
小平（東京）の武蔵野美術大学と朝鮮大学校はとなりどうしだけどカベで分けられ交流はほとんどなかった。そのカベをのりこえる橋を架けて交流するアートプロジェクト。となり同士だけど、ふれられなかった歴史を再考。

あれ？いつの間に美術道を抜けてる！
最初に来た美術館だ！
ワァ!!
改めて《泉》見てどう思う？
ふざけやがってデュシャン！
感想あんま変わってないんかい
いろいろ見て考えたけどやっぱりふざけてる！
見るこっちの身にもなれ！
でも知ったうえだとちょっと見方が変わるだろ？
知った上だから思う存分文句言ってやる！
でも一緒にいろんな作家に会えて楽しかったよ
オレだって新しい美術道を作ってやるよ！金持ちになる！
ギュッ
ぼくも楽しかったよ
さみしいなあ
さみしいなあ
1年後
やあ！久しぶり！
うわあ！本当に売れっ子作家になったの？
宝くじが当たった
美術は!?
でもオレが美術道で美術を知ったみたいにいろんな人に美術を普及する活動を始めたんだ！
偉いなあ！教育活動にお金を使ったんだね！

違うよ！美術道ランドという美術のテーマパークを作ったんだ！
ジャジャーン
教育どこに行ったんだよ！
美術道ランド
見世物小屋
バンクシーマウス
ただ楽しいだけの乗り物がたくさんで「泉コースター」や「ウォーホルのキャンベルハント」が人気です！
うわあ！資本主義に振り切ってる！
ガーン
すぐに潰れて一文なしだ…
日本は美術を見る目がない…
君の経営センスがないだけだよ……
ブル
ブル
でも美術の道はチャレンジの連続！まだ諦めんぞ！
また一緒に歩いていこう
美術王にオレはなる！
美術王…？

美術道

おわり

おわりに

誰かが新しい作品を作っては、他の誰かがそれをぶち壊すような新しい作品を作る。作っては壊しを繰り返して、あらゆる作家があらゆる方法で切り拓いている美術道の一端を見ていただけましたでしょうか？　作ったそばから否定されるなんて、それでは、一歩も前に進めないのでは？　結局なんでもありなのではないか？　道楽なのか？　暇なのか？　こんなものを作ることに意味はあるのか……？

そんなふうに最初は思ってしまうかもしれません。私もそう思っていました。でも知れば知るほど面白く、目が離せなくて、私はずっと現代美術に関わってきました。興味のある人以外、なかなか現代美術に触れる機会がないので、現代美術というものが、わけのわからない人たちが屁理屈《へりくつ》で変なものを作っているだけというイメージになっているところがあります。なので、作家たちがどうしてこんなものを作っていったのかを知る入り口になりたくて、この本を書きました。少しでも、現代美術を「面白いじゃん」と思ってもらえたり、実際に美術展に足を運んでくださる方がいたりしたら、こんなに嬉しいことはありません。

例えばこの本で扱ったジャクソン・ポロックなどの抽象表現主義の作家の作品は、スマホなどの画像で見るとよさがわかりづらいのですが、実物はとても大きい絵で、目の前で見て初めて本当に絵の中に入ったような体験をすることができます。美術作品は実際に見ないとわからないものです。

この『美術道』で扱っている作家は、ものすごくたくさんの美術作家の中の、ほんの一部です。有名だけど、扱っていない作家から、まだスポットが当たっていない作家まで、まだまだたくさんの人がいます。

この本の最初に紹介したマルセル・デュシャンが《泉》という作品を作ってからまだ、たった100年くらいしか経っていません。たった100年しか経っていないのに、その間に本当に多様な作品が作られてきていて、それをまとめるのは不可能だと思ってしまうくらい大変でした。この本は、ギャク漫画としてできるだけ楽しく現代美術をまとめようとしたのですが、そのせいで取りこぼしてしまったこともたくさんあります。書ききれなさに何回も挫折しそうになりました。それでも、意義のある本だからと私のケツを叩いてくれた編集の大井智水さん、ありがとうございました。漫画のアシスタントとして働きながら励ましてくれた南壽イサムさん、井上森人さんの2人にも、ここで感謝をお伝えします。作家を選ぶ相談や、執筆の協力をしてくれた橋場佑太郎さん、かわいいデザインを作ってくださった牧寿次郎さんも本当にありがとうございました。情報量の多いこの本を丁寧に校正していただいた山崎春江さんと中村志保さん、本当にありがとうございます。

そして、ずっと隣で支えてくれた向井ひかりさん。

感謝を伝えたい人はたくさんいるのですが、この本で取り上げた、道を切り拓いてきた作家たちに最大限のリスペクトを。あなたたちの作品が今の私を作っています。

最後に、ここまで読んでくださったあなたに最大限の感謝を伝えます。

私のことは嫌いになっても美術のことは嫌いにならないでください。

パピヨン本田

シンディ・シャーマン

《untitled film still#21》1978、メトロポリタン美術館
《untitled#96》1981、ニューヨーク近代美術館
シェリー・レヴィーン《泉（ブッダ）》1996

ジェフ・クーンズ

《ラビット》1986、個人蔵
《マイケルジャクソンとバブルス君》1988、ブロード美術館

桂ゆき

《土》1939、広島県立美術館
《ゴンベとカラス》1966、東京国立近代美術館
《作品》1979、北海道立近代美術館
《お釜》1985

荒川修作

「棺桶」シリーズ、1958〜61
《抗生物質と子音にはさまれたアインシュタイン》1958〜59、国立国際美術館
《形態》1970
荒川修作＋マドリン・ギンズ《養老天命反転地》1995、岐阜県養老
荒川修作＋マドリン・ギンズ《天命反転住宅インメモリー オブ ヘレン・ケラー》2005、東京都三鷹市

田中敦子

《カレンダー》1954、芦屋市立美術博物館
《ベル》1955/2005、NTTインターコミュニケーション・センター
《電気服》1956、白石画廊

李禹煥

関根伸夫《位相―大地》1968、須磨離宮公園
「関係項」シリーズ、1968年頃から
「点より」「線より」シリーズ、1973年から
《対話―ウォールペインティング》2022、作家蔵

寺山修司

劇団《天井桟敷》1967〜83
市街劇《ノック》1975

岡本太郎

《傷ましき腕》1936、川崎市岡本太郎美術館
《明日の神話》（下絵）1968〜69、渋谷駅
《太陽の塔》1970、大阪府吹田市万博記念公園

バンクシー

《風船と少女》2002
《花束を投げる男》2003〜、パレスチナ
「世界一眺めの悪いホテル」2017、パレスチナ

トレイシー・エミン

ダミアン・ハースト《生者の心における死の物理的不可能性》1991
《私が今まで寝たすべての人》1995、焼失
《トレイシー・エミン CV》1995、テート美術館
クリス・オフィリ《聖母マリア》1996、ニューヨーク近代美術館
《マイ・ベッド》1998、テート美術館

リクリット・ティラバーニャ

《パッタイ》1990、パウラアレンギャラリー
《無題（Free/Still）》1992

クリスト＆ジャンヌ＝クロード

《追悼のパッケージ》1961、ケルン
《ドラム缶の壁、鉄のカーテン》1962
《包まれた海岸線》1969、シドニー
《囲まれた島々》1983、フロリダ州マイアミ
《アンブレラ》1984、茨城県
《包まれたポン・ヌフ》1985、パリ
《包まれた凱旋門》2021、パリ

ゲリラ・ガールズ

《メトロポリタン美術館に入るには女は裸にならないといけないの？》1989
《昨年、ニューヨーク市内の美術館で、個展を開いた女性は何人でしょう？》1985

巻末に寄せて

アンディ・ウォーホル《バナナ・ジャケット》1967
ナタリア・LL《消費者アート》1973、東京都写真美術館
ジャン=フランソワ・ボクレ《バナナマンの涙》2009
ニコラ・マルーフ《バナナは何色？》2017
マウリツィオ・カテラン《コメディアン》2019、グッゲンハイム美術館

村上 隆《Ko^2ちゃん（プロジェクトKo^2）》1997
村上隆《マイ・ロンサム・カウボーイ》1988
草間彌生《南瓜》1994、香川県直島
福田美蘭《湖畔》1993
黒田清輝《湖畔》1897、東京国立博物館
草間彌生《花咲ける妻有》2003、新潟
Chim↑Pom from Smappa!Group《LEVEL7 feat. 明日の神話》2011、岡本太郎記念館
Chim↑Pom from Smappa!Group《気合い100連発》2011、森美術館

アイ・ウェイウェイ《漢時代の壺を落とす》1995、個人蔵
武蔵野美術大学×朝鮮大学校美術科《突然、目の前がひらけて》2015

作品情報

マルセル・デュシャン

ギュスターヴ・クールベ《世界の起源》1866
《階段を降りる裸体No.2》1912、フィラデルフィア美術館
ジョルジュ・ブラック《ギターを持つ男》1914、ポンピドゥー・センター
《花嫁は彼女の独身者たちによって裸にされて、さえも》1915〜23、フィラデルフィア美術館
《泉》1917、1967再制作
《L.H.O.O.Q》1919、ポンピドゥー・センター
《(1)落下する水、(2)照明用ガス、が与えられたとせよ》1946〜66、フィラデルフィア美術館
ジョセフ・コスース《1つと3つの椅子》1965、ニューヨーク近代美術館

ジャクソン・ポロック

パブロ・ピカソ《ゲルニカ》1937、ソフィア王妃芸術センター
《五尋の深み》1947、ニューヨーク近代美術館
《No.5》1948、個人蔵

アラン・カプロー

ジョン・ケージ《4分33秒》1952、マーベリック・コンサートホール
《6つのパートに分かれた18のハプニング》1959、マーサ・ジャクソン・ギャラリー、ルーベン・ギャラリー
《庭》1961、ルーベン・ギャラリー
《流動体》1967、パサデナ美術館

オノ・ヨーコ

《カット・ピース》1964、草月会館
《天井の絵／イエス・ペインティング》1966、インディカ・ギャラリー
《平和のためのベッド・イン》1969、アムステルダム、ヒルトンホテル702号室
ジョン・レノン、オノ・ヨーコ《WAR IS OVER! IF YOU WANT IT》1969、世界12都市
『ヨーコの心』1970、アップル・レコード

ヨーゼフ・ボイス

《マルセル・デュシャンの沈黙は過大評価されている》1964、パフォーマンス
《私はアメリカが好き。アメリカも私が好き》1974、ルネ・ブロック・ギャラリー
《7000本の樫の木》1982〜87、カッセル

ジュディ・シカゴ

ミリアム・シャピロ共同制作《ウーマン・ハウス》1972、ロサンゼルス
《ディナー・パーティ》1979、ブルックリン美術館，ブルックリン区，ニューヨーク州

アンディ・ウォーホル

ロバート・ラウシェンバーグ《コカ・コーラ・プラン》1958、ロサンゼルス現代美術館
《キャンベルのスープ缶》1962、ニューヨーク近代美術館
《自殺(シルバーの飛び降りる男)》1963、アンディ・ウォーホル美術館
《電気椅子》1964、アンディ・ウォーホル美術館
《青緑色のマリリン》1967、ステファン・T・エドリス

草間彌生

ジョージア・オキーフ《Red Canna》1923、ペンシルベニア美術アカデミー
《母の肖像》1939
《アキュミレーションNo.1》1962、ニューヨーク近代美術館
《無限の網》1961
クレス・オルデンバーグ《フロア・ケーキ》1962、ニューヨーク近代美術館
クレス・オルデンバーグ《フロア・コーン》1962、ニューヨーク近代美術館
クレス・オルデンバーグ《フロア・バーガー》1962、オンタリオ美術館
《集合 1000艘のボート・ショー》1963、レオ・キャステリ・ギャラリー
《ナルシスの庭》1966/2022、ヴェネツィア・ビエンナーレ会場
《ベトナム反戦のオージー・ハプニング》1968、ニューヨーク証券取引所前
《無限の彼方へかぼちゃは愛を叫んでゆく》2017、草間彌生美術館

ナム・ジュン・パイク

《禅・フォー・ヘッド》1962
《プリペアド・テレビ》1963
《禅・フォー・TV》1963、ニューヨーク近代美術館
《TVガーデン》1974、グッゲンハイム美術館
《グッドモーニング・ミスター・オーウェル》1984
《リ・タイ・ポ》1987、アジア・ソサエティ
《多いほどよい》1988、韓国国立現代美術館

ジャン＝ミシェル・バスキア

《無題》1982、個人蔵
《二つの頭》1982、アンディ・ウォーホル美術館
《ハリウッド・アフリカン》1983、ホイットニー美術館

太陽編集部『寺山修司』、平凡社、1997年
マルセル・デュシャン 原著、フランシス・M・ナウマン、エクトール・オバルク 編、北山研二 訳『マルセル・デュシャン書簡集』、白水社、2009年
黒ダライ児 著『肉体のアナーキズム　1960年代・日本美術におけるパフォーマンスの地下水脈』、grambooks、2010年
三村尚彦、門林岳史 編著『22世紀の荒川修作＋マドリン・ギンズ　天命反転する経験と身体』、フィルムアート社、2019年
西堂行人 著『日本演劇思想史講義』、論創社、2020年
椹木野衣 著『日本・現代・美術』、新潮社、1998年
赤瀬川原平 著『反芸術アンパン』、筑摩書房、1994年
ウィル・エルスワース＝ジョーンズ 著『バンクシー壁に隠れた男の正体』、パルコ出版局、2020年
ハイナ・シュタッヘルハウス 著、山下和弘 訳『評伝ヨーゼフ・ボイス』、美術出版社、1994年
美術手帖編集部『美術手帖671号　特集　草間彌生』、美術出版社、1993年
美術手帖編集部『美術手帖726号　最新海外注目アーティスト1996アート・イズ・ライフ』、美術出版社、1996年
美術手帖編集部『美術手帖964号　特集　REAL TIMES』、美術出版社、2012年
美術手帖編集部『美術手帖965号　特集　草間彌生』、美術出版社、2012年
美術手帖編集部『美術手帖1012号　特集　ジェフ・クーンズ』、美術出版社、2014年

美術手帖編集部『美術手帖1089号　特集　女性たちの美術史』、美術出版社、2021年
新潟県立近代美術館・国立国際美術館・東京都現代美術館『Viva Video! 久保田成子』、河出書房新社、2021年
フィルムアート社・プラクティカ・ネットワーク『Practica アートという戦場　ソーシャルルアート入門』、フィルムアート社、2005年
白石征 著『ペーパームーン　さよなら寺山修司　寺山修司追悼特別号』、新書館、1983年
鈴木俊晴、福元崇志、福元崇志、平野到、スヴェン・リントホルム、クリストフ・シュライアー、大浦周、水野俊、岡添瑠子 著『ボイス＋パレルモ　BEUYS+PALERMO』、マイブックサービス、2021年
平芳幸浩 著『マルセル・デュシャンとは何か』、河出書房新社、2018年
水戸芸術館現代美術センター『水戸芸術館現代美術センター　展覧会資料第103号 クリストとジャンヌ=クロード』、水戸芸術館現代美術センター、2016年
九條今日子 著『ムッシュウ・寺山修司』、筑摩書房、1993年
近藤健一、佐々木瞳［森美術館］、竹見洋一郎 著『森美術館10周年記念展アンディー・ウォーホル展：永遠の15分』、森美術館、2014年
国立新美術館、兵庫県立美術館『李 禹煥』、平凡社、2022年
Allan Kaprow, “The Legacy of Jackson Pollock”, 1958.
Nicolas Bourriaud, “Relational Aesthetics”, Les Presses du réel Paris, 2002.
Saatchi Collection, Norman Rosenthal, Brooks Adams, Royal Academy of Arts (Great Britain), “Sensation: Young British Artists from the Saatchi Collection”, Thames & Hudson, 1998.
Neal Brown, “Tate Modern Artists: Tracey Emin”,Tate, 2006.

参考文献

北原恵 著『アート・アクティヴィズム』、インパクト出版会、1999年
松田行正 著『アート＆デザイン表現史 1800s-2000s』、左右社、2022年
ハル・フォスター、ロザリンド・E・クラウス、イヴ-アラン・ボワ、ベンジャミン・H・D・ブークロー、デイヴィッド・ジョーズリット 著『ART SINCE 1900　図鑑1900年以後の芸術』、東京書籍、2019年
西部美術館　朝日新聞東京本社企画部『アメリカ美術の30年展図録』、西部美術館、1976年
中嶋泉 著『アンチ・アクション—日本戦後絵画と女性画家—』、ブリュッケ、2019年
寺山修司 著『家出のすすめ』、角川書店、2005年
ジュディ・シカゴ 著、小池一子 訳『ウェストコーストに花開いたフェミニズム・アートの旗手、ジュディ自伝　花もつ女』、パルコ出版局、1979年
うらわ美術館『うらわ美術館開館5周年記念　フルクサス展—芸術から日常へ』、うらわ美術館、2004年
C.グリーンバーグ 著、藤枝晃雄 訳『グリーンバーグ批評選集』、勁草書房、2005年
オノ・ヨーコ 著『グレープフルーツ・ジュース』、講談社、1998年
美術手帖編集部『現代アート事典　モダンからコンテポラリーまで…世界と日本の現代美術用語集』、美術出版社、2009年
デイヴィッド・コッティントン 著、松井裕美 訳『現代アート入門』、名古屋大学出版会、2020年
山本浩貴 著『現代美術史　欧米、日本、トランスナショナル』、中公論新社、2019年
山梨俊夫 著『現代美術の誕生と変容』、水声社、2022年
美術手帖編集部『これからの美術がわかるキーワード100』、美術出版社、2019年
岡本太郎 著『今日の芸術 新装版 時代を創造するものは誰か』、光文社、2022年
荒川修作、マドリン・ギンズ 著、河本英夫、稲垣諭 訳『死ぬのは法律違反です　死に抗する建築：21世紀への源流』、春秋社、2007年
椹木野衣 著『シミュレーショニズム』、筑摩書房、2001年
東京都現代美術館『シンディ・シャーマン展図録』、朝日新聞社、1996年
國井綾、福元崇志 著『すべて未知の世界へ—GUTAI 分化と統合』、大阪中之島美術館・国立国際美術館、2022年
スージー・ホッジ 著、清水玲奈 訳『世界をゆるがしたアート　クールベからバンクシーまで、タブーを打ち破った挑戦者たち』、青幻舎インターナショナル、2022年
東京国立近代美術館『生誕100年　岡本太郎展』、NHK、NHKプロモーション、2011年
東京都現代美術館、下関市立美術館『生誕百年　桂ゆき　ある寓話』、東京都現代美術館、下関市立美術館、2013年
パブロ・エルゲラ 著、アート＆ソサエティ研究センターSEA研究会、秋葉美知子、工藤安代、清水裕子 訳『ソーシャリー・エンゲイジド・アート入門　アートが社会と深く関わるための10のポイント』、フィルムアート社、2015年
平田実 著『超芸術Art in Action 前衛美術家たちの足跡1963-1969』、三五館、2005年
李禹煥 著『出会いを求めて—現代美術の始源』、美術出版社、2000年

パピヨン本田（ぱぴよんほんだ）
1995年生まれ。現代美術作家。2021年5月に彗星のごとくSNSに現れ、またたく間に人気を得る。美術史に残る出来事や、アーティストの日常の顔、展覧会やギャラリー事情まで、美術業界のあるあるネタを描き、評判になる。

常識《じょうしき》やぶりの天才《てんさい》たちが作《つく》った
美術道《びじゅつみち》

2023年10月19日　初版発行

文・絵／パピヨン本田《ほんだ》
発行者／山下　直久
発行／株式会社KADOKAWA
〒102-8177　東京都千代田区富士見2-13-3
電話　0570-002-301（ナビダイヤル）

印刷所／TOPPAN印刷株式会社
製本所／TOPPAN印刷株式会社

ISBN 978-4-04-606170-6　C0070